À propos d'Esther Rochon…

« Esther Rochon s'impose […]
par la rigueur et la précision de son style,
par la cohérence de l'organisation
de la matière romanesque. C'est plus que rare :
c'est tout à fait exceptionnel. »
La Presse

« Une auteure remarquable […]
que le milieu littéraire québécois […]
a déjà reconnue comme
une de nos meilleures écrivaines. »
Lettres québécoises

« Esther Rochon a une écriture
qui peut être à la fois pure et précise
comme de la glace et chaude et
sensuelle comme de la salive.
Ce n'est pas rien. »
Moebius

« Le talent d'Esther Rochon se déploie
dans le jeu des atmosphères désespérées,
des relations dissonantes entre
les individus et les sociétés
qui les abritent et, surtout, dans
les discours intérieurs des personnages,
doués d'une profondeur remarquable. »
Nuit blanche

« “Une sphère dont le centre est partout
et la circonférence nulle part”.
C’était une des métaphores/définitions
par lesquelles on essayait,
dans des époques plus préoccupées de
transcendance, de donner une image
de la divinité. Dans sa substance,
dans sa forme, dans son mouvement même,
ce pourrait être une assez bonne description
de l’œuvre d’Esther Rochon. »

Solaris

« Esther Rochon possède une plume
remarquable, une écriture ciselée
qui découpe admirablement les étranges
personnages de ses curieuses contrées. »

Femme plus

« Rochon bâtit un décor de théâtre
dépouillé où des taches de couleurs pures
chargées de significations se déplacent
sur un fond en noir et blanc. »

imagine…

« Esther Rochon est devenue une
figure importante de la science-fiction
francophone canadienne qui mériterait
une plus grande reconnaissance
internationale. »

Science-Fiction Studies

Lame

De la même auteure

Coquillage. Roman.
Montréal : La pleine lune, 1986.
Le Traversier. Recueil. (Épuisé)
Montréal : La pleine lune, 1987.
Le Piège à souvenirs. Recueil.
Montréal : La pleine lune, 1991.
L'Ombre et le cheval. Roman.
Montréal : Paulines, Jeunesse-pop 78, 1992.
La Rivière des morts. Roman.
Lévis : Alire, Romans 102, 2007.

Le Cycle de Vrénalik

En hommage aux araignées. Roman. (Épuisé)
Montréal : L'Actuelle, 1974.
Version pour la jeunesse :
L'Étranger sous la ville. Roman.
Montréal : Paulines, Jeunesse-pop 56, 1987.
Nouvelle version augmentée sous le titre :
L'Aigle des profondeurs. Roman.
Lévis : Alire, Romans 055, 2002.
L'Épuisement du soleil. Roman. (Épuisé)
Longueuil : Le Préambule, Chroniques du futur 8, 1985.
Repris sous les titres :
Le Rêveur dans la citadelle. Roman.
Beauport : Alire, Romans 013, 1998.
L'Archipel noir. Roman.
Beauport : Alire, Romans 022, 1999.
L'Espace du diamant. Roman.
Montréal : La pleine lune, 1990.

Les Chroniques infernales

Lame. Roman.
Montréal : Québec/Amérique, Sextant 9, 1995. (Épuisé)
Lévis : Alire, Romans 114, 2008.
Aboli. Roman.
Beauport : Alire, Romans 002, 1996.
Ouverture. Roman.
Beauport : Alire, Romans 007, 1997.
Secrets. Roman.
Beauport : Alire, Romans 014, 1998.
Or. Roman.
Beauport : Alire, Romans 023, 1999.
Sorbier. Roman.
Beauport : Alire, Romans 032, 2000.

Lame

Esther Rochon

Illustration de couverture : JACQUES LAMONTAGNE
Photographie : STUDIO PHOTO ROSE

Distributeurs exclusifs :

Canada et États-Unis :
Messageries ADP
2315, rue de la Province,
Longueuil (Québec) Canada
J4G 1G4
Téléphone : 450-640-1237
Télécopieur : 450-674-6237

France et autres pays :
Interforum editis
Immeuble Paryseine, 3,
Allée de la Seine, 94854 Ivry Cedex
Tél. : 33 (0) 4 49 59 11 56/91
Télécopieur : 33 (0) 1 49 59 11 33
Service commande France Métropolitaine
Tél. : 33 (0) 2 38 32 71 00
Télécopieur : 33 (0) 2 38 32 71 28
Service commandes Export-DOM-TOM
Télécopieur : 33 (0) 2 38 32 78 86
Internet : www.interforum.fr
Courriel : cdes-export@interforum.fr

Suisse :
Interforum editis Suisse
Case postale 69 – CH 1701 Fribourg – Suisse
Téléphone : 41 (0) 26 460 80 60
Télécopieur : 41 (0) 26 460 80 68
Internet : www.interforumsuisse.ch
Courriel : office@interforumsuisse.ch
Distributeur : OLS S.A.
Zl. 3, Corminboeuf
Case postale 1061 – CH 1701 Fribourg – Suisse
Commandes :
Tél. : 41 (0) 26 467 53 33
Télécopieur : 41 (0) 26 467 55 66
Internet : www.olf.ch
Courriel : information@olf.ch

Belgique et Luxembourg :
Interforum editis Benelux S.A.
Boulevard de l'Europe 117, B-1301 Wavre – Belgique
Tél. : 32 (0) 10 42 03 20
Télécopieur : 32 (0) 10 41 20 24
Internet : www.interforum.be
Courriel : info@interforum.be

Pour toute information supplémentaire
LES ÉDITIONS ALIRE INC.
C. P. 67, Succ. B, Québec (Qc) Canada G1K 7A1
Tél. : 418-835-4441 Fax : 418-838-4443
Courriel : info@alire.com
Internet : www.alire.com

Les Éditions Alire inc. bénéficient des programmes d'aide à l'édition de la Société de développement des entreprises culturelles du Québec (SODEC), du Conseil des Arts du Canada (CAC) et reconnaissent l'aide financière du gouvernement du Canada par l'entremise du Programme d'aide au développement de l'industrie de l'édition (PADIÉ) pour leurs activités d'édition.

Gouvernement du Québec – Programme de crédit d'impôt pour l'édition de livres – Gestion Sodec.

Dépôt légal : 3e trimestre 2008
Bibliothèque nationale du Québec
Bibliothèque nationale du Canada

10 9 8 7 6 5 4 3 2e MILLE

Table des matières

Repères bibliographiques

La première version de ce roman est parue en 1995 chez Québec Amérique (Sextant). La présente édition constitue la version définitive de ce texte.

Le monde d'en dessous

Elle ignorait si elle était morte ou vive. En un certain sens, cela lui était égal : morte ou bien vive ne sont que des désignations ; décider laquelle s'appliquait ne changerait en rien son état.

L'endroit où elle se trouvait n'était pas normal, par rapport à ce qu'elle connaissait avant. En ville, avant, c'est elle qui n'était pas normale. Ici, elle se retrouvait normale dans ce lieu pervers. Chaque jour – il y avait des jours, d'une certaine façon –, chaque jour elle devenait moins normale, elle s'opposait de plus en plus à ce monde, sa résistance devenait plus visible. Comme elle l'avait fait en ville. Morte ou vive, où qu'elle soit, c'était peut-être son destin : s'éloigner petit à petit de la norme, de l'acceptable. Elle s'en épouvantait toute seule.

Pourtant, ce monde-ci, horrible comme elle-même l'avait été en ville, atroce comme elle le méritait, lui convenait. Comme elle y souffrait ! Comme tous y souffraient ! Les corps y étaient malléables, devenant graduellement plus monstrueux, plus ignobles, impossibles à tuer, de plus en plus difficiles à mouvoir. On pourrait dire que c'était l'enfer.

D'ailleurs, à quoi bon se le cacher. Elle était en enfer. Les gardiens l'annonçaient en rigolant au passage du portail fatidique: «Bienvenue en enfer! Vous n'en sortirez pas de sitôt, imbéciles!» C'était vrai et faux à la fois. Il était toujours possible de rêver. Encore possible de jouir. Ce n'étaient pas des enfers à horreur maximale. C'étaient des enfers doux.

C'étaient les enfers mous.

Le sol était en glaise et en merde. Comme personne ne portait de chaussures, tous avaient sans cesse les pieds froids, et gluants. Guère plus à plaindre que des cochons qu'on engraisse. Eux iraient à l'abattoir. Tandis que ces damnés-ci, à peu près immortels, gisaient dans les immondices pour quelques bons siècles au moins.

Dans ce monde suintant, au ciel rocheux et brunâtre, où elle évoluait depuis quelques années, elle occupait une fonction. Ce qui lui permettait de résister: elle avait un travail à faire.

Son travail était de tenir un registre. Le registre d'entrée des enfers mous. Traditionnellement, on le confiait à une damnée. Les gardiens n'aimaient pas manipuler la plume. D'ailleurs, elle n'aurait pas été surprise d'apprendre que c'était pour eux impossible: ils étaient très bêtes. C'étaient peut-être des sortes de machines, dans le genre sans âme. Elle n'en était pas sûre. Elle avait entendu qu'il existait une sorte de roi des enfers, qui régnait sur les différentes régions de ce lieu horrible. Lui-même n'était pas immortel; à l'occasion de sa mort, il lui plaisait d'incendier les vastes étendues de son royaume et de faire périr brûlées vives les innombrables créatures qui s'y trouvaient. Cela ne s'était pas produit encore, et puis elle aurait voulu voir ça, tiens, les marécages nauséabonds en train de flamber ! L'humidité dégoûtante de son pays d'accueil lui permettait de prendre cette menace avec un grain de sel.

C'était un marais puant, avec des arbres morts pour rappeler que d'autre chose avait déjà existé, qu'un autre monde, auparavant possible, était désormais interdit. Aucune plante n'y croissait ; la moindre pousse aurait d'ailleurs été écrasée par des pieds verruqueux. Elle ignorait si le ciel était en rochers ou tout simplement en béton, qui aurait été comme de la boue séchée, ou de la bouse de ville égarée en ce lieu de cauchemar. Aucun animal, nul oiseau, pas le moindre insecte même. Les damnés étaient livrés à eux-mêmes, à leurs instincts, à leurs horreurs internes.

Au loin, rougeoyant sans cesse, les immenses brasiers des enfers durs émettaient une fumée noire à odeur de chair cuite. De l'autre côté des étendues d'eau gluante, loin, ces lieux réservés à de plus grands coupables les accueillaient pour qu'ils y souffrent le martyre, pendant des ères géologiques entières si leur cas l'exigeait. Parfois elle les enviait : ce devait être plus vivifiant que ce monde plat où elle croupissait, accrochée à son registre d'entrée comme à une bouée.

Qui jugeait ? Qui décidait de la gravité des fautes ? Certains lui avaient parlé d'un tribunal crépusculaire devant lequel ils avaient comparu avant de se retrouver ici. Un tribunal inquiétant, où siégeaient de grands oiseaux à corps humain splendide et nu, un lieu d'ombre où un rayon de lumière unique tombe sur la balance du jugement. Pour sa part, elle n'avait rien vu de tel, à moins qu'elle ne l'ait oublié. C'était pour elle un espoir : se pourrait-il qu'elle ait un statut particulier, qu'elle ne soit pas vraiment morte, alors que ces images de jugement chez d'autres auraient prouvé leur passage dans l'au-delà ? Peut-être aussi que son absence de souvenirs de mort et de jugement marquait sa profonde appartenance à ce monde-ci : là-bas, sur terre, n'avait-elle pas été, comme ici, une créature dégoûtante, dont chacun se détournait, et qui ne se donnait pas la peine de trouver une rédemption dans les bonnes œuvres ou les plaisirs quelconques de la convivialité ?

Alors, les mains froides, les pieds froids, le reste de son corps énorme, immonde, lieu insatiable de désirs, juché incongrûment sur un tabouret trop petit, elle siégeait à l'entrée des enfers. Le registre avait douze mois, trois cent soixante-cinq ou trois cent soixante-six jours selon les ans. Tous les ans on lui en remettait un neuf. Elle n'avait aucun espace qui lui soit privé, et ne tenait aucune archive. Elle ne savait plus combien de registres on lui avait confiés depuis son arrivée. Certainement plus que cinq. Probablement moins d'une douzaine. Peut-être que non. Bref, ça faisait un bout de temps qu'elle était ici, mais pas une éternité. Tous ceux qui étaient arrivés à peu près en même temps qu'elle étaient devenus larves depuis belle lurette. Elle seule avait résisté. Elle seule avait refusé de céder à l'attrait de ses propres sens et d'y sombrer. Elle avait quelque chose d'une puritaine. Et d'une solitaire.

Les nouveaux arrivants étaient horrifiés en l'apercevant. Leur corps n'était qu'à peine transformé.

Ils ne savaient pas ce qu'ils allaient devenir, à quel mépris d'eux-mêmes ils allaient bientôt accéder. Elle leur annonçait la couleur. Ici, ils ne souffriraient pas. On leur retirait tout accès à la splendeur, rien de plus. On leur interdisait la dignité, mais cela n'allait pas plus loin. Ceux qui se retrouvaient ici n'avaient pas fait grand mal. Ils étaient condamnés à la médiocrité. Ce n'était pas très dépaysant pour elle; c'est peut-être la raison pour laquelle elle conservait des souvenirs si clairs de la vie d'avant.

Il n'y avait pas de musique dans ce monde clapotant. Pas de poésie. Ni livre, ni film, ni journal. En un sens, cela lui plaisait. Ainsi, les choses étaient plus claires. Plus désespérées, ce qui leur conférait après tout, peut-être, une certaine splendeur. Là-bas, en ville, elle avait beaucoup aimé lire. Pour un temps, elle pouvait alors s'imaginer belle, désirée, ou bien héroïque. Ici, en ce lieu irréel, impossible d'entretenir de telles illusions. C'était paradoxal: le lieu d'avant, qui se targuait d'être un monde concret où s'appliquaient des lois physiques identifiables, avait aussi constitué une piste d'envol vers l'absence. Il y avait été si facile de se faire faux bond, de se déserter soi-même. Ici, la seule piste d'envol menait vers les zones dangereuses de sa propre jouissance. C'était une piste praticable. Elle conduisait à devenir larve, la bouche seule émergeant de la boue, le corps pâteux étayé et colonisé de l'intérieur par ces gardiens minuscules surnommés fourmis.

Ce sort la dégoûtait. Elle, qui n'avait été aimée par aucun mâle, sauf ici peut-être, et encore, elle n'allait pas céder à cette sorte de salut par la débauche qui menait les damnés d'ici à jouir d'une longue béatitude dans la passivité de la boue froide où cheminent d'étranges fourmis de métal. Enfin, elle supposait qu'elle aurait à y céder à un certain moment, tous ici finissaient par y passer, semble-t-il, et ses orgasmes de vieille fille étonneraient alors sans doute par leur violence, détruisant sa mémoire et faisant d'elle une créature incapable de penser, une de plus sur laquelle des siècles passeraient sans s'en rendre compte, une goutte de calme et d'horreur entourée d'un océan d'acide méchant qui ne l'atteindrait plus. Hors d'atteinte dans la jouissance éternelle ? Pas question.

Sa jouissance la plus noble était celle de son intellect. Elle aimait ses épines. En ville, elle s'était plu à détester ceux qu'elle côtoyait. Ils riaient d'elle ? Sans rien en laisser paraître, elle le leur rendait au centuple. Bien sûr il y avait aussi son corps, qui lui avait procuré des jouissances perverses, des dérèglements honteux qui l'avaient fascinée. Elle était probablement morte après tout, comme tous les autres ici. Il était rare qu'elle l'admette, mais elle était sans doute morte. Des suites d'une orgie secrète. Elle avait tant détesté son corps. Il lui avait tant plu de l'abaisser, de l'avilir. Vers la fin de sa vie, elle avait essayé sans cesse de se rendre plus laide, avec succès.

Mais elle n'avait jamais été aussi laide que maintenant... Était-ce bien vrai ? Sa laideur de jadis était en perpétuelle évolution, elle cherchait activement à la rehausser. La jouissance de travailler à se détruire l'avait accompagnée chaque jour. À présent, c'était curieux, elle ne ressentait plus cet acharnement. Son environnement s'en chargeait. Elle lui résistait parce qu'elle avait l'esprit de contradiction. En quelque sorte, ce lieu-ci était plus sain pour elle. La ville, quelle horreur ! Vive l'enfer !

Elle était donc au poste – pour combien de temps encore ? – et elle attendait les nouveaux damnés pour leur faire signer le registre s'ils en étaient capables. Elle se dandina un peu sur son tabouret. Ici, on avait perpétuellement faim, et perpétuellement envie de faire l'amour ou de se masturber. Elle passait sa journée à grignoter et à se tripoter. Chaque soir plus lourde, chaque soir son sexe était plus exigeant. Après tout, on était en enfer ! Elle se disait que la seule nourriture disponible devait être assaisonnée de drogues qui stimulaient l'appétit et le désir sexuel. On mangeait de plus en plus. On se caressait de plus en plus.

Au début, on avait tendance à ne pas prendre la situation au sérieux. Le corps était encore léger, d'ailleurs, il était encore possible de satisfaire le désir sexuel avec des partenaires. Mais déjà ce désir, exacerbé, n'avait plus les dimensions qu'on lui avait connues. Il était tellement vif, exigeant, obsessionnel ! Au début, oui, elle avait eu des amants. L'un d'eux s'était attaché à elle. Elle avait hésité à l'accompagner dans sa démence, naturelle ici, plutôt que de demeurer fidèle à son rôle de secrétaire. Il l'avait suivie comme une sangsue, il fallait qu'il la touche, la pénètre, la recouvre de ses sécrétions. Tout cela procurait bien sûr un plaisir physique, et psychologique aussi, à elle que nul n'avait chérie auparavant. Ses caresses moites, la nourriture droguée dont on s'empiffre de plus en plus, l'atmosphère tiède du marécage, tout cela avait rapidement transformé son corps qui, comme celui de son partenaire, était devenu encore plus mou, encore plus lourd, encore plus pénible à mouvoir. Certains d'entre les damnés se traînent sur le sol boueux comme des limaces, il leur est impossible de se tenir debout, ils sont trop énormes. Son amant atteignit ce stade. Ses yeux se fermaient. Le monde extérieur captait de moins en moins son attention ; son ventre et son sexe étaient ses seuls points de repère. Comme elle demeurait plus attentive au reste, et finalement fidèle à ses fonctions de secrétaire, il la délaissa pour rechercher la compagnie de ceux qui, comme lui, se préparaient à devenir larves. Ils se tenaient alors en groupes, frottant obsessivement leurs corps informes, recherchant la moindre parcelle de jouissance. Certains se renversaient, tentant d'offrir leurs parties génitales aux caresses des autres, au risque d'étouffer sous leur propre poids ou d'être piétinés. D'autres les enjambaient, les enfourchaient s'ils le pouvaient ; une atmosphère orgiaque régnait parfois, attirant tout le monde.

Il arrivait alors que la jouissance des partenaires initiaux, amplifiée par les orgasmes secondaires de ceux qui les entouraient, les menât à un point de non-retour. Quand le cercle se défaisait, ils demeuraient, deux tas de viande immobiles, presque morts. Les gardiens amenaient le palan et les transportaient au site où ils seraient enfouis comme larves.

Quand son amant était devenu larve, elle avait fait partie du cercle orgiaque. Tous l'avaient accompagné dans sa dernière jouissance sur le sol. Après, il accéderait à la jouissance souterraine : sans yeux, puis sans oreilles, ses membres pourrissant lentement, enfouis dans la glaise froide, pour que ne demeure bientôt de lui que la bouche, bien nourrie, le ventre continuant à gonfler et à s'enfoncer dans la boue façonnée par les fourmis, et le sexe, scrupuleusement caressé par elles. Au cours des siècles, des ouvertures se feraient dans la chair du ventre, les fourmis y pénétreraient et s'approprieraient cette grosse outre, peut-être pour y prélever la drogue dont la nourriture était assaisonnée. Secrétaire des enfers mous, elle avait vu les plans du sous-sol : des plaines entières servaient à ensevelir les larves, dont le corps devenait facilement jusqu'à mille fois plus lourd que celui des êtres de la surface. Quand la larve mourait finalement, souvent dans d'atroces souffrances, elle se tordait, avait des spasmes : parfois des glissements de terrain se produisaient. Puis le corps pourrissait ; le sol alors s'affaissait et suintait. Pour ces raisons, les sites d'enfouissement étaient éloignés de la zone habitée.

En arrivant ici, les nouveaux damnés franchissaient le portail noir, dont la forme était celle d'une infernale ogive : non pas un arc brisé mais les deux tiers d'un ovale lourdement appuyé sur le sol. Cette forme ovale était pour elle la plus menaçante : ici, en effet, les ventres prenaient rapidement la forme d'un œuf énorme, dont rien n'éclosait sauf le désir d'être empli et massé ; les seins, pour les femmes, se gonflaient, formes ovoïdes secondaires qui pendaient, avides de caresses et pourtant stériles comme des obus. Quelquefois les fesses, les cuisses, le haut des bras, le cou, la tête même s'enflaient et ressemblaient aussi à des œufs mous, tremblants. Les gardiens déconseillaient l'usage de vêtements parce qu'ils ne voulaient pas s'occuper de les laver, et qu'il était impossible de les garder présentables quand les excréments jonchaient le sol où l'on s'étendait pour dormir, réveillé peut-être par sa propre diarrhée. Les damnés eux-mêmes perdaient rapidement tout intérêt pour l'élégance. Ils ressemblaient à des grappes d'œufs blafards, massifs, à petite tête et à pattes grêles ou enflées, toujours sans force. Leurs déplacements avaient quelque chose de tremblotant, de glaireux ; ils étaient sans cesse à bout de souffle, comme si nul vent ne pouvait pénétrer l'œuf compact et tyrannique de leur tronc. Leurs jambes servaient à les traîner vers la nourriture et les caresses, leurs bras à porter les aliments à leur bouche, ils étaient entièrement asservis à leur ventre et à leur sexe. L'ovale représentait ainsi le châtiment qui les frappait, qui caractérise les enfers mous.

De son bureau, elle voyait bien la porte ovale et, de tous ceux qui la franchissaient, elle ne devait laisser passer personne sans que son inscription soit faite. Elle avait failli laisser passer quelqu'un le jour où son amant était devenu larve ; à la dernière minute elle avait aperçu une silhouette contre la porte, et il lui avait fallu toute la puissance de sa volonté pour vaincre la fascination de l'orgasme d'adieu et aller inscrire le nouveau venu. Si elle avait laissé faire, et préféré sa jouissance à son devoir, elle aurait perdu son poste. Elle était secrétaire depuis des années – un record, du jamais-vu. En général, les secrétaires demeuraient en fonction quelques semaines, quelques mois au plus. Ensuite elles devenaient trop lourdes pour rester assises sur le tabouret, trop désireuses de se consacrer à l'assouvissement de leurs désirs. Elle seule avait résisté. Mais chaque jour elle était un peu plus lente, plus essoufflée, plus inconfortable à son poste, qu'elle quittait à la moindre accalmie pour se masser un peu et manger. Depuis toutes ces années qu'elle était ici, elle n'avait vu personne échapper à ce lieu ; tous étaient devenus des larves. Pourtant une route traversait le territoire, serpentant dans la boue, s'éloignant dans les grandes collines à larves, en direction des enfers chauds. Les gardiens l'utilisaient pour les convois de marchandises arrivant sur des charrettes de fer.

C'est avec terreur, mais aussi avec un désir pervers, qu'elle envisageait le jour où elle ne pourrait plus tenir le coup, où elle deviendrait imbécile comme tous les autres. Elle se laisserait enfin aller ! Elle n'essaierait plus de se retenir ! Elle passerait ses journées à rechercher les contacts tactiles et à s'emplir le ventre. Ah ! sentir des mains nouvelles sur ses seins durs et chauds qui s'appuyaient et roulaient sur son ventre, sentir ces mains les soulever, les rafraîchir, supporter un peu de leur poids ! Sentir des mains fraîches fouiller ses fesses et le bas de son ventre pour finalement atteindre son sexe brûlant, qui s'efforcerait de s'offrir ! Pourrait-elle trouver un ou une partenaire qui accepterait de sentir son désir et de s'y plier, ne serait-ce qu'un moment ? Elle aurait oublié tous les horaires quand, à son tour, elle palperait, soupèserait, adorerait une chair difforme autre que la sienne, la ferait frémir et trouver une étrange rédemption dans la tendresse sans loyauté des amours infernales.

Mais ce serait au prix de sa lucidité. Elle le ferait une fois contrainte, pas avant. Ce serait une démission, une marque d'épuisement. Sa jouissance serait la marque de sa défaite.

Rationnellement, elle n'avait aucune raison d'espérer échapper à ces enfers qui n'étaient que le prolongement délirant de la déchéance solitaire à laquelle elle s'était abandonnée en ville : personne n'y était parvenu. Pourtant, elle ne pouvait s'empêcher de résister. Elle était peut-être encore convaincue de ne pas être vraiment morte ou de ne pas vraiment mériter ce sort. Elle n'avait jamais tué personne. Ni torturé quiconque. Hormis elle-même. Mais depuis quand est-on obligé de s'aimer ? Le savait-elle, qu'il lui était interdit de se haïr quand tout le monde le faisait ? Secrétaire minable d'un bureau de nullités, comment aurait-elle pu deviner que son devoir était malgré tout de se trouver des qualités ? Est-ce la joie crue de sa hargne universelle qui l'avait menée ici ? À ce poste nettement plus important de secrétaire des enfers ? Ici, elle n'avait pas affaire à des clients mais à des damnés ; ses patrons n'étaient pas des ordures mais des diables. Toute une promotion !

Les diables-gardiens lui réservaient parfois des tourments sur mesure, à moins qu'il ne s'agît de leur manière de la récompenser. Un jour, ils lui avaient offert un morceau de tissu, assez grand pour qu'elle puisse y dissimuler cette horreur tiède et molle qu'était devenu son corps. C'était un beau lainage bleu. Elle avait pu s'enrouler quelque temps dans cette couverture, un peu piquante, vraiment trop chaude pour la température d'ici. Il lui arrivait de plonger son regard dans le bleu du tissu, et d'oublier un instant la dictature du désir et l'acharnement de sa résistance. Elle en prenait un soin méticuleux – compte tenu de la maladresse de son corps continuellement en chaleur. Pourtant, ce drap lui rappelait quelque chose.

Le souvenir avait fini par faire surface. Davantage qu'un souvenir, c'était une réflexion. Les rayons des librairies qu'elle avait fréquentées, en ville, avaient été hantés par des minables comme elle. Ceux qui lisaient pour s'évader avaient en général de quoi vouloir s'évader. Souvent ils n'étaient que tristes, peut-être momentanément. Mais il leur arrivait, comme dans son cas à elle, d'avoir un physique ingrat, qu'ils essayaient de cacher. Le bleu était alors la couleur en vogue chez tous ceux-là qui auraient bien préféré ne pas avoir de corps ni de ventre, de sexe ou de désirs, mais se fondre quelque part dans l'espace, devenir de purs esprits. Cette sorte de couverture était de ce bleu-là; en somme il ne lui faisait pas du tout échapper à la fange du concret. Ce bleu céleste était le côté face de l'enfer.

Le don de cette pièce de tissu, s'agissait-il d'un tourment ou d'une marque d'estime? L'échappée dans la contemplation du bleu n'était-elle qu'un cul-de-sac ou bien y avait-il un chemin caché au-delà de sa déconvenue? Elle ne le sut jamais vraiment: malgré ses précautions, la couverture s'était mise à prendre les taches; elle essaya de la laver dans l'eau du marécage, mais ses bras, comme rétrécis et sans force, n'étaient plus capables de la tordre. C'était une occasion de plus de voir à quel point ses gestes n'étaient plus déliés, mais liés au contraire, attachés à satisfaire ses insatiables désirs. Elle abandonna donc la couverture, couverte de vase, sur le bord de l'eau tiède. Elle n'était même plus en état de se traîner jusqu'au siège où elle s'affalait pour dormir. Au risque de ne plus pouvoir se relever, elle s'était assise dans l'eau, écartant les cuisses une fois de plus, ne pouvant plus résister à la jouissance dont elle était esclave.

Cet épisode l'avait marquée. Les collines des larves n'étaient plus très loin.

Désormais, tous les soirs, sitôt son travail terminé, elle redevenait entièrement au service de son corps. Le rituel de ses caresses se compliquait avec le temps, la dictature de la jouissance devenait de plus en plus féroce. Elle ne pouvait rien faire d'autre. Elle somnolait bien un peu, mais l'inconfort, le désir ou la faim l'éveillaient, tyranniques. D'un jour à l'autre, elle ne savait pas si elle terminerait sa journée de travail, ou si son ventre aurait finalement raison de l'horaire. C'était vraiment l'enfer. Il était étonnant que, malgré tout, elle parvînt encore à réfléchir.

Pourtant, les caresses devenaient de plus en plus fascinantes aussi. Sa peau s'étendait, immense pays affamé de sensations. En ce moment, son attention se portait sur son sein gauche, qui était parfois mou, parfois dur, toujours lourd et avide de caresses. L'aréole en était hypersensible ; elle commençait à la toucher d'un doigt, lentement, retenant chaque geste, et du coup son ventre se détendait, enflait et semblait pendre plus bas. Sa bouche s'entrouvrait, son sexe aussi. Elle gémissait un peu, sa respiration se raccourcissait, ses yeux étaient mi-clos. Étrangement, elle aimait son corps. Il représentait l'enfant qu'elle n'avait jamais eu et qui réclamait son plaisir sensuel, le réclamait encore jusqu'à l'épuiser, mais se calmait quand elle lui donnait ce qu'il voulait. Le monde entier se résumait à lui. Elle était la mère et l'amante de ce corps, qui emplissait tout son horizon. Satisfait, il la comblait de jouissances massives, étouffantes, faisant oublier tout le reste.

La lourdeur de ses seins, qui d'habitude la dégoûtait, la captivait à présent, comme c'était toujours le cas quand elle s'abandonnait à cet état. La grosseur de son ventre la fascinait; sa peau en était si douce. Elle espérait qu'il deviendrait encore plus gros: peut-être bloquerait-il la peur. Elle l'effleurait et le temps s'arrêtait. Ce qui lui emplissait alors l'esprit, ce n'étaient pas des souvenirs de bonheur, mais le bonheur lui-même, tout nu, obscène, qui la possédait. Le lourd pays de son corps avait ses forêts, ses vallons. Elle n'en finissait plus d'explorer tout cela, les mains hésitantes, parfois raffermies, ne sachant quel effluve de jouissance allait surgir, quel râle d'émerveillement et d'abandon s'apprêtait à franchir ses lèvres.

Elle aurait aimé être un peu vêtue. Porter un soutien-gorge de satin rouge, plein à craquer, peut-être aussi des jarretelles, avoir le visage et les seins fardés, les cheveux teints et frisés. Elle devenait une autre, de l'autre côté de la honte. Elle parvenait à peine à atteindre son sexe tellement son ventre prenait de la place. Ceux-là étaient deux rivaux, donnant des plaisirs bien distincts; l'un était plein, énorme;

l'autre avait sans cesse besoin de chaleur, il était moite, un peu méchant dans la précision de son désir et son incapacité d'être rassasié. Pourtant sa main s'y reposait ; déjà il se laissait séduire. Elle se contorsionnait pour l'atteindre entièrement. Elle ressentait une impression de lumière, un peu comme si elle allait s'évanouir. Elle en avait les jambes molles.

Ces distractions, elle les connaissait évidemment du temps où elle était en ville. Il lui était alors arrivé de se demander si elle aurait meilleur caractère en s'y adonnant plus souvent. Mais la hargne semblait une occupation plus avouable. À présent qu'elle était forcée de se caresser plusieurs fois par jour, elle connaissait la réponse : son humeur s'était améliorée. Peu d'êtres lui tapaient sur les nerfs. Ils ne faisaient que distraire ses yeux, ses oreilles et son cerveau, fantoches sans intérêt quand la vraie vie est celle du ventre.

Là-bas, elle avait préféré se faire mal. Se blesser le ventre, justement, ou le sexe. S'humilier en portant des vêtements trop serrés et en regardant ensuite les marques qu'ils laissaient. Il lui avait semblé mériter de souffrir, puisqu'elle était laide, indésirable, indigne de vivre. Sa haine lui avait procuré des jouissances fulgurantes, trop brèves mais inoubliables. Elle avait ainsi connu un monde de cristal et de glace vengeresse, le recréant sans se lasser, ne lâchant prise que quand elle n'en pouvait plus, refusant l'équilibre du jour et de la nuit pour n'en conserver que les aspects les plus coupants, les plus intransigeants, puis s'évadant en se prenant pour quelqu'un d'autre. Maintenant, elle était dans la boue. C'était peut-être son propre rasoir qui avait eu raison d'elle, à moins qu'elle ne se soit jetée sous une voiture en un paroxysme de mépris et de méchanceté. Elle avait aimé faire couler son propre sang. Elle s'était plu à croire qu'aucune cellule de son corps ne méritait de vivre ; de telles pensées l'avaient étourdie et elle avait pris cela pour du bonheur.

Ici, les couteaux étaient interdits. Elle avait bien essayé de se pincer au début, ou de se mordre, tentant de reproduire avec son nouveau corps, plus caricatural, les tourments qui l'avaient captivée autrefois. Elle s'en était rapidement lassée : ce corps-ci avait d'autres exigences. Il optait résolument pour le mou, le tendre, l'avachi. Était-ce son désir de se faire mal qui s'était réfugié dans l'obstination farouche qu'elle mettait à garder son poste de secrétaire au lieu de se la couler douce comme tout le monde ? C'était possible. L'espoir qu'elle conservait de s'en sortir, de finir autrement qu'en larve, n'allait peut-être pas plus loin. Mais il était là. Ayant bafoué son corps là-bas, elle était devenue esclave de son corps ici. C'était juste. Mais, sa faute ayant eu lieu au cours d'une période de temps limitée, lui semblait-il, on pouvait s'attendre à ce que le châtiment lui aussi se termine un jour. Comment ? Quand, surtout ?

Ses seins la fascinaient. Comme ils étaient pleins, et sensibles. Elle allait bientôt sommeiller. Dans une pose pornographique, elle allait bientôt s'assoupir, secrétaire de ce monde grotesque.

Le lendemain, elle était revenue au poste. Infirme à force d'être énorme, elle s'était traînée, s'arrêtant pour satisfaire aux multiples exigences de ses désirs. Impossible ici de posséder longtemps le moindre objet ; tout finissait par sombrer dans la vase, et elle était depuis longtemps trop épaisse pour pouvoir ramasser ce qui était tombé. Ainsi, elle avait déjà eu un bâton, une canne plutôt, pour l'aider à marcher. À son travail, elle l'appuyait contre le bureau ; un jour la canne était tombée – c'était fini. Le fauteuil où elle se reposait était à vingt pas d'ici, au bord de la grève ; pendant des années, elle avait pu aller s'y asseoir au milieu du jour. Mais depuis quelques mois cela la fatiguait trop. Elle faisait le trajet matin et soir, rien de plus. Aujourd'hui, encore essoufflée par les vingt pas de ce matin, ses mains tremblaient et elle était en sueur. Elle craignait de glisser du tabouret. Comme il serait alors bon de se reposer dans la boue ! Il lui serait impossible de se relever.

Parfois aussi, elle avait l'impression de se conter des peurs, d'exagérer sa faiblesse et sa lourdeur parce qu'il est captivant de croire que c'est la fin. Dans un monde si grotesque, tout pouvait prendre d'étranges proportions, et les sensations qui venaient du corps étaient sujettes à toutes sortes de déformations. Malgré tout, aujourd'hui, ça n'allait pas. Ah ! se laisser aller…

Tiens, un arrivant. Du coup, elle se redressa. Comme il était svelte ! Ils étaient souvent si beaux quand ils arrivaient ! Elle lui fit signe. Ses énormes seins si doux soigneusement installés sur le bureau, elle lui tendit le registre qui en occupait l'autre moitié.

— J'ai un sauf-conduit.

Il était vraiment chouette. Comme le héros d'un film d'aventures : grand, mince, bronzé, portant le chapeau d'office avec l'air un peu désabusé.

Il lui montra un papier, certifiant qu'il n'était pas damné mais seulement de passage. Il y avait un sceau griffu, d'allure menaçante, au bas du document. C'était celui du roi des enfers.

Un garde survint. Le nouveau venu devait-il signer le registre ? Il fut finalement décidé que, dans son cas, ce n'était pas nécessaire. Tout de même, un sauf-conduit ! Du jamais-vu !

Elle lui fit signe de passer. Il n'était pas pressé. Nonchalant, il s'accouda à son bureau. Ils étaient face à face. Ses doigts poilus effleurèrent, peut-être par hasard, ses seins d'ogresse. Il sourit et se redressa.

Une espèce de non-damné qui lui faisait de l'œil ! Du délire !

— Je vais travailler au château, par là-bas.

Il indiqua la route que personne n'avait jamais prise, sauf ces espèces de robots-diables-gardiens.

— Je reviendrai faire un tour, les jours de congé, ajouta-t-il.

— C'est loin d'ici.

Il baissa les yeux, un peu embarrassé.

— Pas pour moi, déclara-t-il.

C'est vrai, il semblait avoir un corps normal, lui.

Il fit quelques pas, semblant à peine remarquer la boue qui lui montait aux chevilles et le petit attroupement de damnés qui l'observaient en se dandinant. Elle se tourna pour regarder, avec lui, le marécage et les flammes fuligineuses au loin.

— Je suis déjà allé là-bas, commenta-t-il. Ici, c'est plus calme pour un jour de congé.

— Le château où vous allez est entre ces deux enfers ?

— Plus au nord que le marécage, oui.

Elle hésita. C'était la plus longue conversation intelligente qu'elle avait eue depuis des années. Elle voulait que cela dure. Elle osa :

— Je ne savais pas qu'il y avait un nord, ici. J'avais l'impression d'un espace sans direction qui en vaille la peine.

Cette fois-ci, il eut l'air ému.

— Pour les damnés peut-être, murmura-t-il. Pas pour moi.

Il y eut un silence. Pourtant, elle aurait aimé le retenir. Quelqu'un d'agréable à voir, c'était inespéré. Sans doute un nouvel équivalent de la couverture bleue, une espèce de piège pervers propre aux enfers. Mais, tout de même…

— Vous devez avoir l'habitude des damnés, dit-elle.

— Pas vraiment.

Elle le sentait mal à l'aise.

— Je connais mieux ceux qui vous tourmentent, avoua-t-il.

— Vous travaillez pour le roi des enfers ?

Il hocha la tête. Elle remarqua qu'il changeait un peu. Était-ce l'atmosphère pestilentielle ? Son visage se durcit ; un instant elle eut l'impression qu'il y avait en lui quelque chose du gardien-démon. Il se détendit et demanda :

— Votre nom ?

Elle eut un trou de mémoire. Il lui semblait que jadis elle méritait un nom ridicule. Elle chercha. En vain. Il y avait des années qu'elle se passait de nom. En plus, elle n'avait plus le même corps qu'avant ; ça pouvait bien nécessiter un nouveau nom.

— Nommez-moi, dit-elle.

Ils n'en étaient plus à la conversation de convenances.

— Alors vous me nommerez, dit-il. Moi aussi, je suis égaré. On m'appelle Fred, mais ça m'énerve. Il me faut un nom pour ici. Je suis un peu perdu. Je pourrais changer d'identité, c'est à la mode ces jours-ci.

Il avait l'air d'un damné. D'un damné angélique. Elle remarqua – cela jurait avec son costume – qu'il portait une épée. On l'apercevait dans les replis de son manteau poussiéreux. Elle envia soudain cet objet, dont la forme était si opposée à l'outre molle de son corps.

— Je voudrais m'appeler Lame, déclara-t-elle. Ça me donnerait du courage.

— Je vous nomme Lame, dit-il en s'inclinant.

Il soupira. Autour de lui l'air tremblait. Comme elle avait besoin de se caresser, et de manger. Mais elle ne voulait pas qu'il voie sa déchéance. Pas tout de suite. Elle pouvait tenir le coup. Sa présence lui permettait de le faire et lui ouvrait de nouveaux horizons.

— Je vous nomme Vaste, dit-elle.

— Vaste, répéta-t-il. Ça va.

Ils se regardèrent à peine. Il effleura sa main, peut-être par bravade. Ils se saluèrent, puis il s'en alla. Elle le regarda s'éloigner sur la route boueuse. Sa belle silhouette sombre s'engagea dans les plaines et les collines des larves, puis disparut.

Sortir !

Il revint, à peine quelques semaines plus tard. Elle l'avait attendu tout ce temps, elle avait pu s'empêcher de céder à cause de lui. Elle l'observa qui s'approchait sur la route, en se demandant s'il allait lui parler cette fois-ci aussi ou bien s'il n'était qu'une torture simple, un sauveur qu'on attend pour qu'il puisse se payer notre tête.

Il se retrouva à sa hauteur.

— M'accompagnerais-tu au château ? lui demanda-t-il.

Elle remarqua qu'il la tutoyait et eut envie de refuser sa requête pour cette raison : cette marque de familiarité ne lui inspirait pas confiance. Il y avait un piège là-bas, certainement. L'alternative était de croupir, dans la jouissance certes, mais dans l'horreur. Elle résolut de lui répondre en le tutoyant :

— Comment feras-tu pour m'y mener ?

— J'ai un sauf-conduit.

— Je n'en doute pas. Mais physiquement, je veux dire, comment vais-je être transportée là-bas ?

— Partons maintenant ; on fera venir un chariot quand tu seras fatiguée.

Bonne idée. Le plus tôt serait le mieux.

Avant de quitter son tabouret, elle contempla ce qui, pendant trop longtemps, avait été son univers : la terrifiante porte oblongue et noire à sa droite, les clôtures où les damnés pouvaient s'appuyer de l'autre côté du chemin, à sa gauche la majorité des damnés, vautrés dans leur vase perverse. Plus loin à gauche, le chemin serpentait à travers les collines des larves, modifiant son tracé selon que les ventres souterrains se gonflaient encore ou bien s'effondraient en pourriture liquide. Vaste présenta son sauf-conduit aux gardiens tandis qu'elle regardait le marécage en se demandant quand, dans ce nouveau monde où elle allait pénétrer, elle trouverait le temps et l'intimité nécessaires pour se caresser. Peut-être devrait-elle y renoncer, ce qui serait douloureux. Tout plutôt que de devenir larve.

Elle descendit lentement de son tabouret, avec l'impression d'accomplir un geste aussi important que l'avènement au pouvoir d'un parti extrémiste après une période de chaos. Tous les enfers mous l'observaient, bouche bée, en cet instant, tandis que les gardiens menaient pour lui succéder une jeune fille, nouvelle arrivée puisqu'elle avait encore des cheveux.

— Tiens bon, lui souffla Lame, des fois ça se termine.

Puis elle prit le bras de Vaste.

Ils ne se rendirent pas loin : gravir les collines des larves épuisa complètement Lame. Vaste l'aida à s'asseoir au bord du chemin désert. Avec des gestes pleins de prévenance, il soupesa les seins de Lame, massa ses pieds et caressa son ventre que la marche avait rendu douloureux, puis l'embrassa avec beaucoup de salive, vibrant de désir. Incrédule et ravie, elle répondit à ses caresses, enveloppant son corps rude et tendu dans les replis de sa chair.

Ils parvinrent même à faire l'amour. Les soupirs des larves en orgasme quasi perpétuel se mêlèrent aux leurs.

Lame ne se donna pas la peine de spéculer sur le genre de perversion qui hantait Vaste pour qu'il la désire : elle en saurait sans doute davantage tôt ou tard. Elle se contenta d'être heureuse.

Puis il partit chercher le chariot qui la transporterait au château où il logeait et revint à la nuit tombante. Étrangement, ce chariot était tiré par des esclaves, de pauvres hères qui, comme les diables-gardiens plus bas, semblaient dotés d'une identité floue : êtres vivants ou machines ? Lame fut hissée dans la benne, où elle put assez discrètement boire, manger et se caresser comme elle y était condamnée. Les pauvres diables eurent bien du mal à la traîner jusqu'au château, qui était juché au sommet d'un petit pic, ce qui ne facilitait pas les choses. Le voyage dura une pleine journée. À mi-chemin, ils prirent une route plus importante, où d'autres véhicules les croisaient ou les dépassaient. La circulation allait suffisamment lentement pour que Lame puisse remarquer que l'expression sur la plupart des visages était la même : sévère et fatiguée. Elle en parla à Vaste, qui marchait à côté du chariot.

— On se rapproche des enfers durs, commenta-t-il. Les vrais.

Il sauta ensuite dans le chariot, alors qu'on montait une côte. Lame voulut protester que ceux qui la tiraient avaient déjà suffisamment de mal comme cela, mais elle remarqua sur le beau visage de Vaste la même expression, fermée, méchante, et elle eut peur. En même temps, elle se sentait pleine d'expectative : cet univers-ci était si différent des enfers mous, si tranchant, nerveux et fier ; peut-être pourrait-elle y acquérir ces qualités.

La nuit tombée, ils arrivèrent au château. On transporta Lame difficilement dans des corridors dont elle emplissait la pleine largeur, on la hissa dans des escaliers tournants qu'elle bloquait par sa masse, jusqu'à la chambre de Vaste, qu'elle occuperait désormais.

— Tu es ma compagne, l'informa-t-il.

Dans cette grande pièce aux murs étrangement métalliques, Lame, affalée là où on l'avait déposée, se sentit comme un mollusque exotique dans l'aquarium d'un amateur sans pitié.

La vie s'organisa. On ne la laissa manquer de rien. Des gens – médecins sans doute – l'examinèrent et spéculèrent sur ses chances de survivre et de mincir jusqu'à ce qu'elle ne soit plus infirme. Ils discutaient devant elle en faisant comme si elle ne comprenait pas. Elle se sentait humiliée d'être considérée comme un phénomène, mais elle n'avait rien à perdre.

On la soumit à une diète stricte, à des exercices compliqués et désagréables. Quand on la laissait tranquille, elle rampait un peu dans la pièce, essayait de trouver une position confortable et restait sans rien dire, attendant le retour de Vaste.

Vaste ne se montrait pas méchant avec elle, mais il était taciturne. Quand elle se hasardait à lui poser des questions, il se donnait rarement la peine d'y répondre. Mais quand il lui faisait l'amour, il s'abandonnait complètement, devenant absolument tendre, plein d'égards, facile à satisfaire. Elle se demandait si c'était elle qu'il chérissait ou bien s'il éprouvait simplement l'envie d'être tendre avec quelqu'un dans cet environnement si dur, et s'il avait jeté son dévolu sur elle parce qu'elle ne pouvait pas refuser.

Lame ne tarda pas à éprouver les bienfaits de son nouveau mode de vie. Elle dut se rendre à l'évidence : son corps cessait graduellement de la tyranniser par des désirs trop intenses. Puis, peu à peu, des forces lui revinrent. C'était complètement inespéré, une véritable renaissance ! La vie lui souriait, pour la première fois peut-être.

Elle commença par marcher jusqu'à la fenêtre, qui dominait un gouffre profond. Elle aimait ce paysage plein d'arêtes noires, orienté vers le nord-est. Vers la droite, on apercevait la route par laquelle elle était arrivée. Devant, c'était une petite falaise. Directement en dessous, il y avait un trou, où on jetait les immondices et peut-être aussi les cadavres ou les condamnés – des plaintes déchirantes et de courte durée s'en élevaient parfois. Cette atmosphère sinistre captivait Lame. Il lui semblait que c'était ce qui lui avait manqué en ville, où les tragédies et la cruauté étaient masquées, obsédantes à force de n'être que devinées, présentées de manière qu'on ne leur accorde qu'une attention passagère. Ici, des os blanchissaient sur les corniches du gouffre, que hantaient de grands oiseaux sombres et maigres. Quand ses cheveux se mirent à pousser, elle eut la joie de constater qu'ils étaient noirs et raides, comme les plumes rêches qui parfois entraient par la fenêtre grande ouverte.

Son corps était en train de diminuer de taille, tout se recroquevillait en elle même si elle était encore très ronde. Elle prit l'habitude de s'habiller, et non simplement de se draper dans une couverture. On lui fournit les tuniques qu'elle demanda et qu'elle pouvait continuer à porter même si sa taille changeait de semaine en semaine. On lui donna des bas, des pantalons et des chaussures aussi, des sous-vêtements et une belle veste en toile grise. Elle était ravie. D'aussi longtemps qu'elle se souvînt, elle ne s'était jamais sentie aussi belle. Elle se procura un peigne pour ses cheveux broussailleux, une brosse à dents, du savon et même du fil et une aiguille, pour pouvoir ajuster ses vêtements à mesure et coudre de grands rideaux noirs pour les fenêtres.

Un jour, elle put sentir les os de ses hanches, et ceux de ses genoux. Un jour, elle put tâter ses côtes, et les vertèbres de son cou. Vaste lui offrit un bracelet d'os. Elle aurait voulu un corps tout en os. En os et en métal.

Quand elle ouvrait la fenêtre, ornée de rideaux noirs qui parfois traînaient à terre et parfois volaient au vent, Lame regardait le ciel. Aucun soleil n'était visible, mais le jour tombait dans un tourbillon de rougeoiements douloureux, auquel succédaient un bleu étonnant, métallique, puis le noir de la nuit. Elle observait ce spectacle avec l'impression que l'espace était en train d'aspirer ce qu'elle avait de trop lourd, de trop mou, pour la rendre creuse et puissante.

Étonnamment, elle se trouvait plutôt indifférente à la cruauté des lieux : l'impression d'acquérir sa dignité grâce à un corps plus svelte suffisait à la rendre heureuse. Elle s'adaptait à sa relation avec Vaste : ils ne se disaient pas grand-chose, mais elle aimait pouvoir lui témoigner sa gratitude en étant une compagne aimable, pour lui qui l'avait sauvée des enfers mous.

À présent qu'elle le connaissait mieux, elle ne se lassait pas de le trouver beau. Il la dépassait d'une pleine tête et était très musclé. Avec sa mâchoire carrée et son regard gris clair, il évoquait une sorte de prédateur, un aigle peut-être. Ses cheveux châtains marqués de gris étaient courts et doux ; ses mains noueuses maniaient bien l'épée ; ses réflexes vifs, sa noble prestance achevaient de la séduire. C'était vraiment son type d'homme ; elle n'en revenait pas de le sentir à elle, de pouvoir le toucher, l'embrasser, le contempler et qu'il l'accepte.

Elle savait maintenant quelles fonctions il emplissait au château : il était l'un des précepteurs du prince héritier des enfers et devait, justement, lui apprendre le maniement des armes.

Petit à petit, à mesure qu'elle découvrait où elle était, quelles étaient les nouvelles possibilités de son corps, quels rôles pourraient être les siens, il lui semblait être en train de prendre une nouvelle personnalité, sans trop savoir cependant quels étaient ses pouvoirs et ses droits.

Tout cela s'effectuait graduellement. Pendant très longtemps, le sentiment dominant pour elle fut la joie intense. Elle vivait une lune de miel, avec son compagnon en même temps qu'avec son propre corps chaque jour plus vigoureux, moins capricieux. Quelle émotion quand, pour la première fois, elle se risqua dans le corridor! Elle ne l'emplissait plus, mais pouvait au contraire y faire des allées et venues sans difficulté, et même se tasser pour céder le passage. Puis elle s'aventura dans les escaliers, ne montant ou ne descendant que quelques marches à la fois avant d'être capable soit de grimper à l'étage au-dessus (dix-huit marches), soit de se rendre à celui d'en dessous (vingt marches). Le château, elle s'en rendit compte, n'était pas construit entièrement en métal. Sa chambre avait des murs d'acier, mais le corridor de l'étage en dessous avait des murs de pierre. Elle se demandait quel accueil on lui ferait, à présent qu'elle était de plus en plus mobile. Personne ne semblait tellement lui porter attention. Quand elle fut assez forte, on lui suggéra d'aller faire ses exercices dans une salle mieux équipée que sa chambre, avec une piscine attenante, dans laquelle elle prit l'habitude de s'ébrouer avec plaisir.

Elle se demandait s'il y avait des moyens de se distraire en ce lieu curieux, dont elle ne saisissait pas exactement la fonction. Elle trouva bien quelques appareils vidéo, et aussi quelques rangées de livres, mais elle constata qu'elle n'en avait pas très envie. Plus elle se sentait forte et plus elle s'habituait à sa santé retrouvée, si bien que son esprit était moins occupé par l'état de son corps et l'était davantage par l'extérieur. Par contre, ce qui avait trait à l'écriture ou à la communication ne l'attirait pas, du moins pas encore.

Elle se l'expliquait ainsi: dans les enfers mous, elle avait dû son salut à l'obsession qu'elle avait des registres bien tenus; auparavant, en ville, elle avait été une lectrice assidue; maintenant elle était fatiguée de tous ces mots tracés, de toutes ces images enregistrées, le monde qui l'attirait était celui de ses perceptions directes. Cela était d'autant plus vrai que son compagnon, Vaste, semblait être quelqu'un de très physique, auquel spéculations ou fictions ne disaient rien. Se sentant de connivence avec lui, elle avait envie de privilégier un style semblable, du moins pour le moment.

Le matin, Vaste quittait la chambre. Il prenait ses repas dans la salle commune en bas, tandis qu'on venait les porter à Lame, à cause de sa situation et de son régime. Elle passait en général ses journées sans le voir ; il rentrait dans le courant de la soirée.

— Qu'est-ce que tu attends de moi ? lui demanda-t-elle un jour.

Et il répondit à sa question, ce qui n'était pas fréquent.

— Que tu te laisses pétrir et pénétrer, et que ça te soit agréable. Le reste de ta vie, je m'en fiche.

— D'autres pourraient me toucher ? dit-elle, peut-être pour le taquiner.

— Ça m'est complètement égal, du moment que tu es là quand j'en ai envie.

— Comment se fait-il qu'on me traite si bien ?

— C'est sur ma solde. Tu me coûtes cher, mais tu seras bientôt guérie. Peut-être que tu pourras travailler, quelque part ici. Alors, tu ne me coûteras plus rien.

— Oui, ça me désennuierait.

— Prends ton temps.

Il la regarda froidement, détaillant sans doute sa laideur mais cependant émoustillé par son corps. Il mit la main sur son sein droit.

— Je n'aurais pas cru que tu me plairais autant, nota-t-il.

— Pourquoi m'as-tu choisie ?

Il ne répondit pas. Elle avait souvent posé cette question, sans jamais obtenir de réponse.

Il ferma les yeux et continua à la caresser. Leurs corps étaient en feu.

C'était pour elle une expérience complètement neuve. Le désir montait, se dénudait telle une épée, jouait sa danse sans retenue puis, le moment passé, s'amenuisait jusqu'à disparaître totalement. Ainsi, elle ne se sentait plus abaissée d'avoir besoin de contacts. Au contraire, prise pour ce qu'elle avait à donner et à recevoir, elle était rendue ensuite à elle-même, satisfaite.

Ce n'était vraiment pas agréable, ces traitements à subir et ces séances d'exercice, mais le résultat en valait la peine. À présent, si elle se regardait dans un miroir, elle voyait une femme sans âge, petite, au corps vigoureux, avec des yeux allongés, sombres. Des mains un peu ridées, une gorge et une poitrine qui semblaient de seconde main, et qui correspondaient à ce qu'elle ressentait en elle-même. Ses gestes étaient vifs, les escaliers ne l'essoufflaient plus. Elle se promenait partout où il lui semblait agréable d'aller, et même aux environs du château.

Les lieux où elle évoluait étaient, pour autant qu'elle pût en juger, d'un romantisme échevelé : sol crevassé de pierres noires, édifice sévère en pierre sombre et en acier, vents et nuées. Les tourelles de métal, évoquant des clochers sans cloche et une foi sans lumière, se dressaient, étranges et belles, ornées de fanions rouge et noir, dominant la plaine des enfers. Les diables-robots, décharnés, dociles et pourtant forts, ressemblaient aux serviteurs bizarres et aux soldats anonymes des romans gothiques. Mais tout cela était malheureusement réel ; les cris des suppliciés, les cadavres déchiquetés par les oiseaux nécrophages démentaient la respectabilité entendue d'un paysage de commande. L'odeur des lieux, les puanteurs charriées par le vent n'avaient rien de romantique.

Elle prit l'habitude d'éviter les endroits où l'on torturait, et de ne pas demander à Vaste ce qu'il faisait pendant la journée. Elle ne chercha pas non plus à le voir s'exercer aux armes dans la grande cour en bas, préférant ne pas en avoir trop vu, ne pas en savoir plus que nécessaire.

Le château, en somme, était un entrepôt et servait d'abri à une garnison de diables. Il se trouvait à deux ou trois jours de route (selon la vitesse du convoi) de la capitale des enfers. Vaste y résidait, au lieu d'être à la capitale, parce que, d'un jour à l'autre depuis son arrivée, le prince héritier était censé venir y faire un séjour. Lame se rendait bien compte que Vaste s'ennuyait, d'autant plus qu'il était le seul étranger de l'endroit. En tant que tel, deux fois par année il pouvait retourner chez lui lors d'un congé sans solde. Il avait préféré rester sur place ces derniers mois, utilisant l'économie ainsi faite pour que le corps de Lame soit remis à neuf, mais il était plutôt oisif. On l'avait recruté et on ne l'utilisait pas. Il traînait dans le château et se divertissait comme il le pouvait, c'est-à-dire mal. Au moins, avec Lame, il continuait à se montrer tendre.

Elle reconnaissait que ce qu'il avait fait pour elle était très important ; quand il était dans ses bras, elle aimait croire qu'elle lui servait de protection contre la violence ambiante et qu'elle lui permettait de se raccrocher à quelque chose de doux. La venue du prince héritier demeurait incertaine. Lame était d'ailleurs loin de l'espérer : si l'on pouvait faire passer une certaine douceur dans l'oisiveté présente, ce serait probablement plus difficile en présence des gens de la cour.

Ce château-ci était situé à un endroit stratégique, à la frontière entre différentes régions des enfers. En bas de la butte, d'ailleurs, il y avait des entrepôts, dont l'inventaire informatisé était tenu à jour au château. Tout près, il y avait le carrefour de trois routes importantes : celle qui venait de la capitale, celle qui allait vers les enfers froids et celle qui allait vers les enfers mous. Pour aller aux enfers chauds, on prenait la route de la capitale et on bifurquait vers le sud une fois le marécage dépassé. C'étaient des routes en terre ou en pierre, assez larges. Autour du carrefour, on trouvait quelques échoppes fragiles, tenues souvent par des émigrés comme Vaste, mais qui étaient loin de jouir de son statut social. On y trouvait en vente tout un bric-à-brac venant de toutes sortes de mondes, et aussi des kiosques de consultation psychologique et astrologique. Lame trouvait curieux d'y voir pénétrer des robots, mais elle s'habitua petit à petit à leur forme d'intelligence qui, malgré la piètre qualité de leur existence, gardait une certaine curiosité à l'égard du monde plutôt incompréhensible où ils évoluaient.

Elle se rendit compte aussi que ceux qu'elle avait appelé hères, monstres ou diables étaient souvent des autochtones des enfers, qui travaillaient comme tortionnaires. Quelques couples d'entre eux habitaient au château.

Un jour qu'elle était au carrefour, Lame vit quelque chose qui l'estomaqua. Elle était à la recherche d'un bon roman d'espionnage ou de science-fiction, parce qu'elle commençait à s'ennuyer de ses formes anciennes de divertissement, quand elle vit un damné pénétrer dans le kiosque de la psychologue. C'était un authentique damné des enfers froids, maigre, raide, frissonnant. Qu'est-ce qu'il faisait ici, loin de son lieu de torture ? Elle demeura sur place jusqu'à ce qu'il ressorte et pénétra à son tour sous le rideau de toile beige.

— Vous recevez des damnés ? demanda-t-elle abruptement à la dame, qui avait l'attitude épanouie et calme de sa profession.

— C'est parfaitement légal, répondit l'autre sans sourciller. On accepte tous ceux qui se présentent.

— Mais ils ne peuvent pas vous payer…

— On fait payer ceux qui le peuvent, dit la psychologue en dévisageant Lame. Vous en avez les moyens, et c'est l'heure de mes consultations. Vous sortez, ou bien ça vous coûte quelque chose.

Lame ressortit sans insister. Après tout, son étonnement scandalisé n'était pas dirigé vers la psychologue mais vers le mécanisme qui avait permis à un damné de quitter son horreur. Elle se demanda où il était passé et l'aperçut, s'en retournant tristement vers les enfers froids. Même si elle n'avait jamais entendu parler de vacances dans les enfers mous, peut-être existaient-elles ailleurs, en particulier chez les damnés qui pouvaient se déplacer malgré leur peine.

Elle se mit à travailler au château parce que, malgré ce que lui avait affirmé la psychologue pour la faire fuir, elle n'avait pas un sou. Vaste lui avait dit qu'elle n'aurait pas à lui rembourser le coût énorme des soins médicaux qu'on lui avait prodigués, du moment qu'elle restait sa compagne ou qu'il la répudiait. Vaste pouvait être un homme étrange, ce n'était pas un profiteur. On ne voulait pas d'elle à la cuisine, mais elle pouvait faire des ménages et de la vaisselle. On ne la payait pas beaucoup, car on retenait à la source le coût de sa nourriture et de son logement. Avec son corps d'une force nouvelle, elle aimait récurer les chaudrons, secouer les édredons, et savait fort bien laisser de côté les aspects désagréables ou carrément inquiétants des lieux où elle se trouvait.

Il lui aurait plu de découvrir, dans les chambres où elle avait ses entrées, dans les cours intérieures ou même au creux des murs, une plante en pot, une mauvaise herbe, une mousse ou même un simple lichen. Mais il n'y avait aucune verdure. Le monde végétal, qui avait jadis été présent, comme en témoignaient les branches mortes émergeant du marécage, n'était nulle part florissant. C'était un désert, sans pluie mais cependant humidifié par des brumes et des nuées qui rendaient la pierre glissante.

Les quelques décorations de ces lieux sévères étaient des ornements d'os suspendus dans certaines salles, des sortes de mobiles faits surtout de côtes et de vertèbres, qui remuaient et cliquetaient doucement dans les courants d'air. Dans les chambres les plus richement décorées, Lame avait vu des chaînes d'hématite, des couteaux d'obsidienne, et aussi des cristaux, fumés ou clairs, captant la lumière du jour. Les armes d'acier étaient bien sûr disposées à la place d'honneur et soigneusement entretenues. Tout cela donnait un environnement sévère, discipliné, sans joie et sans humour, mais précis.

La plupart de ceux qui faisaient le ménage étaient des robots, et Lame se prit à apprécier leur force métallique, leur énergie infatigable, tandis qu'il leur arrivait de lui demander conseil pour des questions d'élégance. Elle se trouvait alors dans une situation entièrement nouvelle, n'ayant connu qu'une irrémédiable laideur, que ce soit en ville ou dans les enfers mous. Mais elle se sentait prête pour l'expérience, comme si la boue et la médiocrité précédentes avaient fini par épurer son appréhension du monde. À passer ses journées à frotter des pots d'étain, à disposer des couvertures noires sur des draps immaculés, Lame sentait sa taille se redresser, ses gestes devenir plus rigoureux. Malgré la souffrance affreuse qu'il recelait, cet endroit lui convenait, c'était celui de sa guérison.

De longs mois s'écoulèrent ainsi, plutôt ennuyeux mais occupés. Vaste entretenait méticuleusement ses armes et ses habits ; il apprit à Lame comment cirer ses bottes, huiler son épée, lui couper les cheveux et raccommoder les gilets de cuir qu'il mettait pour la pratique. Cependant, elle sentait que cette vie de caserne pesait à Vaste. On le traitait avec les égards dus au tuteur d'un prince, mais, ce prince, il l'avait à peine rencontré. Quand donc quitterait-il la capitale ? Vaste fit des démarches pour y être muté, sans résultat. Peut-être ne l'avait-on engagé que pour le prestige. Alors, bon, il pourfendait des robots pendant ses journées, et aussi quelques autres, comme en témoignaient les taches de sang que nettoyait Lame, et puis il la pénétrait, elle, avec l'assiduité un peu délirante de celui qui est en train de perdre ses illusions. Dans la salle commune, elle le regardait engloutir ses haricots, méthodique, en se demandant quand sa discipline céderait à son impatience. Elle le devinait presque aussi tendu et orienté vers la résistance qu'elle-même l'avait été aux enfers mous.

Il se mit à l'insulter, un peu, parfois, et à faire des plaisanteries sur la forme que son corps avait eue quand il était allé la chercher aux enfers mous, « pour se distraire », comme il disait. Il fit des allusions aux yeux qu'il crevait et aux ventres qu'il éviscérait quelque part dans les zones du château qu'elle évitait soigneusement, celles d'où s'élevaient les hurlements, les gémissements, les plaintes. Il lui décrivit une fois, avec jouissance, comment il avait violé une mourante enchaînée. Elle l'écouta sans rien dire. S'il voulait tenir le coup, elle admettait qu'il eût besoin de se défouler. Si lui ne torturait pas, les robots s'en chargeraient sans doute, avec leur insouciance méthodique. En aucun cas elle ne voulait le juger négativement, lui qui l'avait littéralement hissée hors de la fange pour qu'elle pût enfin connaître la force et l'élégance d'un corps vigoureux et désiré. Il était Vaste, désormais il se faisait appeler par le nom qu'elle lui avait choisi, et cela seul suffisait à lui faire accepter bien des choses.

Cependant, elle ne le comprenait pas, ne le rejoignait vraiment pas dans ce monde violent, terrible qui l'imprégnait de plus en plus.

Du moment qu'elle accomplissait son travail, qui n'était jamais écrasant, et qu'elle se montrait disponible pour son compagnon, personne ne la retenait dans ses allées et venues. Hormis l'amour et l'entretien du corps, des vêtements et des armes, Lame et Vaste n'avaient aucune activité commune. Peu à peu, elle reprit goût à la lecture. Il lui arriva de passer des moments de loisir dans une salle d'archives, où de vieux journaux originaires de plusieurs mondes étaient entreposés et où l'on pouvait consulter sur écran les diverses statistiques épouvantables concernant les damnés des enfers.

Elle trouvait curieux que l'accès à ces banques de données lui fût ainsi ouvert ; elle habitait chez les bourreaux, et partageait leur savoir. Non seulement y avait-il des statistiques, mais aussi des fiches personnelles, qu'elle préférait ne pas consulter pour le moment.

Vaste n'aimant pas la lecture, elle n'apportait pas de livre ou de revue dans leur chambre, de peur qu'il ne les abîme lors d'un accès de colère. Ainsi, si elle se rendait au carrefour, en bas de la colline, pour y trouver des romans roses ou des revues sentimentales, avec des romans-photos où des acteurs prennent des poses, leur texte guindé les couronnant de phylactères, elle préférait lire sur place, s'entendant d'avance sur le prix à payer pour une simple lecture. Elle s'asseyait alors, parfois sur une vieille souche, le plus souvent dans la poussière du sol, et basculait sans tarder dans cet univers venu de loin, cet univers venu de chez elle, surgissant de l'intérieur des couvertures glacées aux couleurs pastel. Ces histoires stupidement sentimentales, qu'elle avait copieusement dénigrées quand elle était vivante et laide, elle y prenait goût maintenant : par la démesure de leur fadeur, elles contrecarraient un peu l'horreur ambiante. Il lui arriva de se demander quel était le quotidien de ceux qui les inventaient, et de celles qui les lisaient d'habitude. Il devait y avoir bien des poches d'enfer sur terre.

Elle aurait aimé avoir un projet commun avec Vaste, ou tout du moins qu'ils sortent ensemble de temps en temps. Elle voyait les autres couples qui vivaient au château partir à cheval ou en voiture, aller marivauder sur les bords du marécage ou ailleurs. Vaste ne voulait pas en entendre parler. Peut-être avait-il honte d'elle et commençait-il à être lassé de sa présence. Formaient-ils un couple bien assorti ? Il était beaucoup plus grand qu'elle, qui avait tout de même l'air plus rapiécée que lui. Il était, après tout, susceptible de rentrer chez lui dans quelques années. Elle n'était qu'une ex-damnée, une créature de l'ombre, des limbes, qui n'avait plus vraiment de patrie mais qui survivrait sans doute très mal chez les vivants, dont elle se distinguait trop par l'apparence.

Elle se demandait comment son existence se continuerait. On pouvait même parler de vie, puisqu'après tout elle avait un corps. Comment se poursuivrait cette vie qu'elle avait ? Ce corps renouvelé, si fort et content de bouger, s'userait-il dans ce monde tragique, culturellement nul, où elle avait abouti ? Culturellement nul, certes. Elle ne pouvait tout de même pas s'attendre à ce que les damnés, occupés à plein temps à vivre des tourments sempiternels, trouvent l'énergie de composer des chansons ou de faire de la sculpture. Quant aux diables-robots, ils n'en éprouvaient nul désir, et avaient quasi littéralement d'autres chats à fouetter, hélas ! Mais les administrateurs, descendants sans doute de ceux qui avaient construit le château, ceux qui logeaient dans les chambres aux sombres miroirs, eux possédaient un sens esthétique sûr. Elle en ressentait l'effet en ces lieux qu'ils avaient décorés à leur goût : s'y trouver l'inspirait à se tenir plus droite, à avoir des gestes plus précis. Par contre, de tous les textes qui passaient entre ses mains, seuls ceux provenant de l'étranger témoignaient de créativité, d'imagination ou de fantaisie. Quelles transformations catastrophiques avait subies ce pays ? Les souches, qui traînaient un peu partout, n'indiquaient-elles pas d'anciens arbres verdoyants ? Et les gens n'étaient-ils pas semblables à elles, devenus des sortes de troncs d'arbres tout juste capables de se reproduire, de faire mal et de régir les diverses tortures selon les jugements rendus ?

Elle préférait ne pas pousser ces spéculations plus loin : ce que l'élégance du château impliquait, ce que les débris végétaux suggéraient, tout cela lui faisait de la peine. Elle, qui n'avait jamais éprouvé d'appartenance à une ville ou à une région, ni de fierté patriotique ou familiale, se sentait menacée par la tendresse qu'elle ressentait à l'égard de ce que ce monde avait pu être. Elle se croyait endurcie à la souffrance des damnés, à laquelle de toute façon elle ne pouvait rien, mais se retrouvait émue par la forme élancée d'une carafe de cristal.

Dans son état présent, le château ne témoignait pas tant d'un monde en déchéance que d'un passé perdu. Ici, le mal et la cruauté régnaient, mais avec plus de prestance que dans les enfers mous ou qu'en ville. Peut-être existait-il une aristocratie des enfers, formée d'êtres corrompus qui, horriblement, se croyaient supérieurs à ceux qu'ils torturaient, utilisant des critères esthétiques pour justifier leur point de vue. La beauté même d'une carafe ou d'un arcboutant devenait alors aussi vénéneuse que celle d'une arme, puisqu'elle servait d'ornement et de justification perverse à une méchanceté profonde. Lame se demandait jusqu'à quel point son bien-être physique et psychologique ne la rendait pas complice de toute l'horreur de ce pays. Mais quelle solution s'offrait à elle, hormis le suicide, ce qui n'était pas son genre ?

Elle n'avait vu personne tailler le verre ou édifier la pierre. Ici, aucun artisan n'habitait les lieux ; pour l'entretien, il n'y avait que des robots ou des réparateurs sans créativité. Il était donc possible que toute la beauté présente ne soit qu'importée ou ancienne, empruntée à d'autres qui, eux, ne s'étaient pas nourris d'horreur. On pouvait aussi envisager que cette esthétique sévère et frappante vînt d'ici, d'êtres qui se réjouissaient de toute la souffrance qu'ils donnaient, participaient énergiquement à la torture, tout en demeurant capables de s'en abstraire pour fabriquer de magnifiques objets, qui leur permettaient d'infliger encore plus de douleur parce qu'ils leur mettaient l'esprit dispos. Elle imaginait un artisan tout fier : « Cette aiguière, je l'ai ciselée après avoir assassiné ma femme. J'ai pu faire durer ça trois jours. Elle a hurlé sans arrêt. Ce qu'elle m'avait fait ? Rien du tout. Elle m'ennuyait. C'était une imbécile. Des imbéciles comme elle, il y en a des masses. Ensuite, j'en ai pris une autre. » D'après ce qu'elle observait des rapports de plus fort à plus faible, de mâle à femelle, une telle scène était vraisemblable.

Des mois relativement calmes s'écoulèrent donc. Elle se remettait lentement de la laideur de son passé, dans l'atmosphère vraiment sinistre mais pour elle revigorante du sombre château et de ses environs.

UN CAUCHEMAR ÉVEILLÉ

Le paysage semblait pourtant attendre quelque chose. Quelque chose de plus atroce que tout ce que Lame avait connu. Elle voyait des préparatifs se faire. Maintenant que les robots et leurs maîtres s'affairaient davantage, Lame reconnaissait que ce château était conçu comme une couronne, à laquelle il manquait la gemme centrale, et l'être qui l'arborerait. Elle eut vraiment peur.

Le roi des enfers, se déplaçant avec sa cour, s'apprêtait à amener son fils au château. Il fallait les accueillir tous le mieux possible, c'est-à-dire avec beaucoup de sang et de mort.

Lame tâcha de se raisonner : après tout, sur terre, d'innombrables animaux intelligents et doux étaient tués chaque jour en pleine ville – mais loin des regards, dans les abattoirs. Ici, les damnés qui souffriraient devant le roi des enfers ou de sa main étaient de toute façon destinés à souffrir ; qu'ils subissent leur juste peine dans leur petit enfer de province ou bien devant le maître du royaume ne faisait pas une grosse différence. Peut-être que les enfers, c'était la terre sans l'hypocrisie.

Quand elle en arriva à cette remarque, elle sursauta presque de plaisir. Non pas que cet énoncé lui semblât vrai : il était évidemment exagéré. Mais il indiquait l'une des raisons pour lesquelles cet endroit lui plaisait, à présent qu'elle n'en était plus prisonnière : ici, la justice avait un sens, du moins pour les damnés. On était ici parce que, auparavant, on avait fait quelque chose de mal, ou bien parce que toute l'attitude envers l'existence avait été faussée, un peu ou beaucoup. Ici, on avait quelque chose d'important à expier. Ensuite, avec un autre corps et dans un autre monde sans doute, on pourrait tourner la page. Lame, elle le réalisait à présent, avait toujours été assoiffée de justice. Ce qui l'avait fait déchoir en ville, c'était de sentir cette justice sans cesse hors d'atteinte, que ce soit pour elle-même ou pour les gens qu'elle connaissait. Elle avait cessé d'essayer de comprendre le présent, l'actuel. Elle avait baissé les bras alors qu'il était trop tôt. Telle avait été sa faute.

L'enfer n'était pas seulement un lieu de souffrance mais aussi un lieu d'après le jugement. La sensation de justice y était beaucoup plus forte que sur terre, même si l'atmosphère était surtout dominée par la haine et la douleur. Voilà ce qui conférait aux lieux leur sévère grandeur. Sur terre, on avait fait semblant ; ici, c'était impossible. La justice pouvait exister ailleurs, être celle des récompenses. Elle existait sans doute partout, plus ou moins visible. Ici, par contre, c'était la raison d'être des lieux. Si chacun se conduisait avec droiture, les enfers disparaîtraient peut-être. Bon, qu'est-ce qui ne pouvait pas disparaître !

À l'approche de la visite du souverain de ce ténébreux royaume, Lame se demandait si sa frayeur n'était pas exagérée : il était l'un des exécutants majeurs de la justice de l'Univers, et elle avait déjà expié sa peine. Qu'elle soit impressionnée se comprenait, mais de là à être terrorisée !

C'est pourtant ce qu'elle ressentait. Ce monde-ci n'était pas simplement un monde de justice, le roi n'était pas une sorte d'exécutant parfait ; il s'agissait plutôt d'un monde atroce, ce qui faisait jouir ce roi assoiffé d'horreur.

Il était presque éternel ; depuis plus de mille ans il occupait le trône. Mais un jour, peut-être bientôt, son héritier lui succéderait. Quand un régime est en place depuis un millier d'années, les peines de bien des damnés ont beau être longues, le changement ne doit pas être facile.

Les habitants du château s'affairaient en tous sens, amassant beaucoup de nourriture et d'êtres à torturer dans les entrepôts et les souterrains. Lame remarqua que les victimes n'étaient pas seulement des damnés. Il y avait aussi des animaux. Peut-être étaient-ils damnés eux aussi, après tout. Allez donc savoir. Et pourquoi pas des nouveau-nés, expiant des actes commis dans d'autres vies ? La logique de la justice punitive était franchement bizarre.

Vaste, ces jours-ci, ne disait plus rien. Il s'occupait à fourbir ses armes et à rêver de massacre. Lame utilisa son temps libre pour consulter longuement les archives, sur papier et informatisées, du royaume.

Depuis longtemps, elle avait trouvé son dossier et celui de plusieurs de ses compagnons des enfers mous. Si la plupart d'entre eux végétaient encore là-bas, comme l'attestait leur dossier, pour sa part elle avait fini d'expier sa faute quand elle avait quitté les enfers mous. C'est sans doute la raison pour laquelle la vie lui souriait même si, objectivement, sa situation n'était pas bien enviable. Vaste l'insultait, la frappait même parfois, et elle craignait la visite du roi sans savoir comment y échapper. Malgré tout, son moral demeurait bon.

Après avoir passé un bout de temps à trouver à quelles peines avaient été condamnés divers personnages connus, elle se décida à en venir au but de sa visite, plus personnel. Elle erra dans les voûtes demanda conseil à plusieurs robots érudits et finit par découvrir l'objet de sa quête : quatorze gros registres tachés de boue, ceux qu'elle avait tenus quand elle était secrétaire près de l'abominable porte ovale. Elle les regarda, incapable d'y toucher, frissonnant de la tête aux pieds. Elle demeura raide figure fière vêtue de noir, le regard plongé dans le monde glauque auquel elle avait résisté quatorze années durant. Se mordant la lèvre inférieure, elle se força à saisir le dernier registre et l'ouvrit à la date où Vaste était arrivé. Il n'avait rien signé, mais, pour commémorer cette rencontre totalement inespérée, elle avait laissé une ligne en blanc.

Elle remit le volume en place sur l'étagère de métal peint et resta immobile encore un moment. Vaste l'avait sauvée sans la sauver. S'il ne s'était pas manifesté, la peine qu'elle expiait se terminait de toute façon. Elle serait sans doute tombée morte, lâchant ce corps horrible pour se ramasser quelque part ailleurs, dans une situation peut-être similaire à celle qu'elle vivait à présent. Malgré tout, elle lui était reconnaissante : mourir dans la vase puante n'avait rien du triomphe que son départ avait été. Ressentant la force de son lien avec lui, et la force qui lui avait permis de résister là-bas, elle retourna vers les parties habitées du château, prête à la visite qui s'annonçait.

Passant à la chambre, elle y trouva Vaste. Il avait ouvert la fenêtre, comme elle le faisait jadis au début de son séjour. Le gouffre noir était hanté par les oiseaux nécrophages, sortes de vautours, qui étaient parmi les rares créatures d'ici dont la raison d'être n'était pas de souffrir ou de faire souffrir. Lame admira le profil de l'homme qu'elle aimait.

L'homme qu'elle aimait – ce qui ne lui était peut-être jamais arrivé avant. Elle n'aurait pas voulu d'amours bourgeoises, raffinées comme des rognons sauce moutarde, où l'on prend le temps de s'apprécier, de se humer, de faire le tour de la chaleur de l'autre. Par contre, sa passion directe et douloureuse pour Vaste correspondait à ce dont elle était capable. C'était quelque chose de noir et de terrible comme le paysage, et qui lui redonnait vie.

Les mains appuyées sur le rebord de la fenêtre, Vaste regardait au loin.

— Le cortège du roi des enfers sera bientôt visible, dit-il.

La nervosité le rendait plus loquace qu'à l'accoutumée.

Elle s'approcha. Brusquement il la saisit par la nuque et la poussa, comme s'il voulait la jeter en bas.

— Je t'ai fait peur, commenta-t-il.

— Tu aimerais jeter des gens en bas ? demanda-t-elle.

— Je l'ai déjà fait. Ceux que je tue. Des fois, quand tu n'es pas là, je viens faire ça ici. Torturer à l'abri du regard des robots a une autre saveur. J'ai le choix entre les jeter en bas morts ou bien vifs. Ce qui est bon, c'est de les forcer à faire ce que je veux avant de m'en débarrasser.

— Pourquoi les tuer ?

— Imbécile ! Ce sont des damnés sans aucune valeur, sans aucun droit. Que je m'amuse avec eux ou qu'ils se fassent couper en morceaux par une machine, pour eux c'est la même chose.

— Tandis que, pour ta part, tu fais quelque chose de mal, dont tu pourrais fort bien te passer.

Il lui donna un coup de pied dans les tibias. Quand elle fut à terre, il remarqua :

— Ça n'a rien de mal, puisque ça ne change rien à leur sort. Que le châtiment vienne de moi ou d'un autre, il est juste. Et c'est bon, tu sais, c'est bon de frapper, bon de les entendre hurler, gémir, de les regarder saigner et de leur faire encore un peu plus mal.

Elle se releva et épousseta sa jupe.

— Tu n'es plus le même, commenta-t-elle. D'accord, tu m'as sauvée, mais quel con !

Elle sauta sur le lit pour éviter son coup.

— Ce serait plus confortable pour moi si je me taisais, dit-elle, mais, comme tu es mon compagnon, autant te dire ce que je pense. Même si tu me tues, idiot, j'ai terminé ma peine ici. Tu ne pourras pas me faire bien mal, je me retrouverai ailleurs, c'est tout. Je ne reste que pour tes beaux yeux. Si tu me frappes, ce n'est certainement pas par justice. Alors, attention !

Il poussa un soupir cynique et résigné.

— Attention, répéta-t-elle. Tu as beau venir de l'extérieur, tu commences à ressembler à ceux d'ici. Tu as beau mériter de vivre sous le ciel bleu, tu t'enfonces dans des plaisirs horribles. On t'a engagé comme tuteur du prince des enfers. Si tu deviens le sosie d'un diable, qu'est-ce que ça aura donné de t'avoir fait venir de si loin ? J'ai décidé que je t'aimais, c'est mon affaire, et c'est pour ça que je te parle. Mais j'ai une question à te poser : pour toi, est-ce que je suis encore ta compagne ?

Il ne répondit pas.

— J'ai besoin de savoir, insista-t-elle. Le roi des enfers arrive, tu es vraiment en train de perdre la tête. Si tu ne voulais plus de moi, ça me rendrait les choses plus simples. Nous avons déjà échangé des « je t'aime » ; est-ce que ça tient toujours de ton côté ? Du mien, je sais que oui. Quand je l'ai dit, c'était bon pour longtemps. Je te regarde, et tu me fais encore de l'effet, crois-le ou non. Pendant un bout de temps, tu as eu l'air de m'aimer, de me désirer. Est-ce déjà fini pour toi ?

Elle se trouvait debout sur le lit, prête à bondir s'il faisait mine de vouloir encore lui faire mal. Leurs têtes étaient à la même hauteur. Il se détendit et sourit. Elle fut soudain consciente de la caméra cachée à sa droite, qui pouvait surveiller tous leurs mouvements dans la pièce. Quand elle avait entendu Vaste se vanter de s'amuser loin du regard des robots, ça l'avait un peu étonnée : comment, il ignorait qu'on le surveillait ? Il n'avait jamais observé la chambre où il couchait ? Pauvre naïf ! Quand elle le mettait en garde contre sa propre violence, c'est qu'elle en avait parlé, à des robots, justement: il risquait gros à continuer de la frapper et de l'insulter, puisqu'elle n'avait plus rien à expier selon la justice des enfers. Ce monde-ci avait beau être d'une épouvantable agressivité, il avait des règles, selon lesquelles elle était libre et sans reproche.

Elle le dévisagea et reprit:

— Enfin, Vaste, je n'exige pas que tu m'aimes! Je te demande de me dire ce que tu ressens, pour que je sache à quoi m'en tenir. Est-ce trop te demander? Et si c'est le cas, pourquoi?

Toute fière qu'elle était d'exprimer sa pensée avec tant de clarté, elle se rendait bien compte qu'elle n'obtiendrait pas grand-chose, sinon de s'engager dans une discussion sans issue avec un homme qui n'avait pas envie d'abandonner son rôle de macho laconique. Vaste, c'était clair, avait décidé qu'il ne ressentait rien ou, plutôt, qu'elle n'était pas un interlocuteur valable.

— Oui, déclara-t-il en souriant toujours, la décontenançant tout à fait, oui, je t'aime.

— Répète pour la caméra, ne put-elle s'empêcher de rétorquer.

— Tu es si drôle! Je t'aime, oui. Tu es ma compagne, ma belle petite Lame aux yeux doux.

Elle était encore fâchée. C'est ce qui l'amusait, l'imbécile! En plus, il était beau.

— Alors, puisque tu m'aimes, je me donne à toi, déclara-t-elle.

Ils s'embrassèrent. L'un comme l'autre, tout à coup, s'en trouvèrent émus.

— Parle-moi d'où tu venais, demanda-t-elle.

Alors, dans ce lieu de paroxysme et de caricature, où il s'était à maintes reprises conduit comme un monstre, il lui parla du ciel gris de son pays, des brouillards, de la verdure, et de la pauvreté qu'il avait connue depuis l'enfance. Il évoqua les gangs dont il avait fait partie, leurs codes et leurs coutumes, les copains qu'il s'était faits et qui s'étaient tous retrouvés en prison alors que lui seul échappait à la police. Il parla de mois entiers passés en forêt, de sa mère qui venait lui porter de la nourriture dans des clairières, puis de sa fuite dans le pays voisin, où il était devenu mercenaire. Il fouilla dans l'un de ses sacs, en sortit des photos et des cartes postales.

— C'est tout ce qui me reste, dit-il.

Elle les contempla. Après toutes ces années passées dans les enfers, elles étaient incroyablement belles. Voir du bleu, du vert, du blanc, des gens qui ne sont pas difformes, des arbres et des prairies, c'était bouleversant. Il lui mit la main sur l'épaule, en un geste très doux, et la regarda pleurer.

— Mais tu pourras revoir tout ça, finit-elle par dire. Ce n'est pas perdu.

— Quand j'y vais, ce n'est plus la même chose, déclara-t-il après un silence.

— Plus d'amis ?

Il hocha la tête.

— Plus personne, confirma-t-il. Et puis, ce n'est plus aussi vert.

Elle réfléchit et déclara :

— L'enfer rattrape tout le reste.

Il la reprit :

— En tout cas, je ne peux plus m'en défaire. Je le retrouve partout.

Elle le regarda dans les yeux.

— Vaste, il faudra changer ça.

Il détourna le regard au bout d'un moment.

— J'en serai incapable.

— Tu n'es pas seul en cause. Tu ne seras pas seul à y travailler.

— Nous serons tous vaincus.

— Nous avons triomphé des enfers mous, toi et moi. Tous vaincus ? Ça reste à voir !

Il la serra davantage, un instant. La tendresse qui les unissait abolissait l'horreur.

Puis retentirent les trompettes annonçant l'arrivée du roi des enfers.

L'élégante horreur des enfers se manifesta alors complètement. Un déploiement de crocs, d'armes, d'êtres trop gros, trop maigres ou diversement malformés, tous menaçants, monta pour ainsi dire à l'assaut du château. Au centre, il y avait deux carrosses noirs, le premier pour le roi et son épouse, le second, plus petit, pour le prince héritier. Les êtres les plus grotesques étaient à la périphérie ; tout devenait à la fois plus sobre et plus terrifiant vers le centre. À la simple vue de ce cortège, Lame se demanda si le roi des enfers respectait ses sujets ou, au contraire, les avilissait en accentuant ce qui le rendait supérieur à eux, ne leur accordant guère plus d'importance qu'à des damnés.

— Viens, dit Vaste. Nous allons leur souhaiter la bienvenue.

Dans la grande cour du château, tous étaient rassemblés en une sorte d'ovale frémissant et féroce. Lame regarda le roi des enfers sortir de son carrosse :

il était très grand, chauve, avec la peau plutôt rouge. Il semblait très fort, très intelligent, mais aussi plutôt troublé, peut-être carrément fou. On aida aussi sa femme à descendre. Elle était toute petite, toute voilée, et avait l'air malade. Quant au prince héritier, c'était un jeune homme svelte au teint pâle et aux cheveux de jais. Ses gestes avaient quelque chose d'automatique, il semblait présent à la situation tout en demeurant distant. Son dos n'était pas complètement droit, à moins que ce ne soit son maintien qui laissât à désirer.

En voyant leur entourage étrange, difforme, l'air menaçant, Lame se demanda ce qui motivait ces êtres à servir le roi des enfers. S'agissait-il d'anciens damnés, dont la peine aurait été commuée pour qu'ils deviennent des serviteurs et des gardes ? Ou bien d'autochtones de la région des enfers, éprouvant de la loyauté pour l'un des leurs, qui en quelque sorte occupait une position dominante ? Quelle était la dynamique du pouvoir dans cet étonnant pays, dont certains habitants étaient des damnés, d'autres des autochtones, certains des machines, d'autres des immigrants d'origines vagues et diverses ? Ceux qui entouraient le roi des enfers jouissaient-ils d'une aussi longue vie que lui ? Ou bien étaient-ils d'une autre espèce ? D'où leur venait leur apparente agressivité ? Où était la justice, en ce monde qui condamnait les êtres laids à être méchants, tout comme elle-même, jadis, sur terre ? N'y avait-il que les damnés, ici, dont la présence s'expliquait par l'expiation, tandis que tous les autres étaient là simplement à cause du chaos ordinaire ?

Alors pourquoi cette architecture faite de rigueur miroitante ?

Elle songeait à tout cela, tandis qu'elle suivait le mouvement de la foule bigarrée qui conduisait, comme dans un cauchemar au déroulement inéluctable, vers les sous-sols, lieux de torture richement fournis en victimes. Elle continua à se plonger dans ces considérations quand les immolations commencèrent. Depuis des semaines, elle s'était mentalement préparée à cette débauche de sang et d'horreur à laquelle elle devait assister aujourd'hui, en l'honneur du nouvel arrivant. Pour s'éviter des ennuis, elle faisait mieux de ne pas fermer les yeux. Mais son esprit pouvait être ailleurs.

Donc, pendant les hurlements et la boucherie, elle retint le mouvement de son corps qui voulait se porter au secours des victimes, tout comme, jadis, elle avait bloqué l'expression de sa sexualité pour ne pas servir de cible aux moqueries. Dans le cas présent comme dans l'ancien, son désir ne pouvait pas se réaliser. Le manifester ne ferait que lui attirer des ennuis. Elle regarda donc les cerfs, les loups et les hommes tomber, agonisants, et demeura impassible, sa figure cireuse de rescapée des enfers mous figée en une expression d'attention guindée.

Étrangement, elle comprenait pourquoi le massacre avait lieu. Har, le roi des enfers, exécutait les tâches dont nul ne voulait. Qu'il le fît avec ou sans plaisir ne changeait en rien son rôle : en ce lieu de punition et de souffrance, le roi donnait l'exemple du tortionnaire en chef.

Il s'arrêta devant elle ; il la dépassait d'une tête, et Vaste était à ses côtés, lui servant d'assistant. Tous deux avaient l'arme à la main et le corps éclaboussé de sang. Har, roi des enfers, dévisagea Lame et lui déclara, d'une voix lente comme un tremblement de terre :

— Comme à la surface, oui, tu te retiens. Mais, ici, tu n'as pas à t'embarrasser de mensonge. Ce que tu ressens, on s'en fout.

Il continua à descendre l'allée, tuant tout sur son passage. Lame remarqua que son pénis était bien visible, en érection, et qu'il en était de même pour Vaste. Tous deux semblaient possédés d'une ivresse destructrice, qui donnait à leurs gestes énormément de puissance et de rythme. Cette ivresse, le roi y sombrait en parfait contrôle, égorgeant l'œil mi-clos des victimes frappées de terreur ; on aurait dit l'incarnation de la Mort, inéluctable, éternelle. Vaste, par contre, manifestait sa relative inexpérience par la fougue de ses gestes et le désordre de ses cheveux. Le prince Rel, l'héritier, suivait à distance, vêtu de soie mauve et noire, sans aucune goutte de sang. Tout mensonge étant superflu, il ne voilait nullement son indignation. Sans arme, sans force physique, il ne faisait que regarder et être vu, gardant la tête haute, les larmes aux yeux. Ses mains vides et blanches, doigts écartés, tournaient parfois leurs paumes vers le haut, puis retombaient, inutiles. Il ne s'attarda pas sur Lame mais, quand il passa tout près, elle remarqua, étonnée, qu'il était bossu et qu'il dégageait une forte odeur de violette. Était-ce par mépris pour les agonisants dont le sang et la merde puent ou pour leur rendre un énigmatique hommage ?

Le cortège s'éloigna, le massacre prit fin, et, dans la salle jonchée de cadavres, au sol couvert de sang glissant, Lame fut l'une des dernières à sortir, tandis que des robots commençaient à soulever les corps. Frissonnante, essuyant bien ses semelles sur les pavés de la cour, elle se rendit à sa chambre. Elle ne fut pas très étonnée d'y trouver Vaste, encore sous le coup de la folie meurtrière, en train de mettre en pièces deux ou trois pauvres hères tout en essayant de les sodomiser. Elle se demanda s'il oserait s'en prendre à elle, dont il avait payé si cher le retour à une certaine santé. De fait, il s'approcha d'elle, l'insulta, la gifla un peu. Elle s'en fichait complètement. Après ce qu'elle venait de voir, elle aussi était dans un état second. Au bout d'un certain temps, il acheva ses victimes et les jeta par la fenêtre, dans le gouffre extérieur, puis il tomba endormi.

Assise dans un coin de cette pièce où tout était sens dessus dessous, Lame se demanda ce qu'elle allait devenir. Elle sortit, s'en alla près des cuisines, expliqua aux robots qui la connaissaient qu'elle craignait désormais Vaste et ne voulait plus vivre avec lui. Ils lui offrirent l'hospitalité d'une pièce d'entreposage, et elle se coucha, entourée de bols vides, sur des sacs rugueux de riz et de pois. Enveloppée dans sa pèlerine, elle demeura songeuse et désorientée.

Désormais, sa vie s'organisa différemment. Le jour, elle se rendait utile auprès des robots, qui n'avaient aucun scrupule à la soustraire aux regards de Vaste, ce simple subalterne, étranger en plus. La nuit, elle se réfugiait dans la dépense, qui sentait le renfermé et les conserves. Une bonne semaine s'écoula ainsi.

Le huitième jour, Jean, le serviteur du prince, vint la trouver: Rel la mandait à ses appartements.

Elle suivit le robot en livrée noire et argent.

Le prince était assis dans un profond fauteuil et il avait un œil au beurre noir. Le bas de sa figure anguleuse était masqué par ses doigts joints.

— C'est vous la ressuscitée, énonça-t-il.

Elle se demanda s'il se payait sa tête. N'osant le regarder dans les yeux au cas où ce serait une erreur d'étiquette, elle répondit que oui.

Il se leva. Il était de la même taille qu'elle, mais il avait l'air plus jeune.

— Vous n'avez pas besoin de protection, affirma-t-il, vous avez purgé votre peine. Alors je vous protégerai.

— Contre qui ?

Il la regarda, et elle vit qu'il avait un œil gris et l'autre bien enflé.

— Contre Vaste, qui est mon maître d'armes. Je ferai de vous ma secrétaire. Vous avez de l'expérience, non ?

Elle hocha la tête en se revoyant, ridicule, humiliée, en train de tenir les registres des enfers mous.

— Vous avez beaucoup d'expérience, affirma-t-il. Si Vaste abîme un cheveu de votre tête, il en entendra parler.

Elle s'enhardit :

— C'est lui qui vous a…

Elle laissa la question en suspens et indiqua son œil enflé.

Le coin droit de sa bouche esquissa un sourire quand il répondit :

— Vaste ? Jamais de la vie. C'est mon père, qui d'autre ?

Elle insista :

— Pourtant, ça aurait pu être Vaste. Pendant une pratique…

Il regarda d'un œil, par la fenêtre, le panorama désolé du marécage, illuminé par le lointain flamboiement des enfers durs.

— Certainement, admit-il, Vaste aussi pourrait me donner une raclée. Mais mon père, quant à lui, préférerait me voir mort.

— Pourquoi ?

— À cause de ce que je représente. Son échec à venir.

— Vous êtes si différent de lui ?

Il garda le silence. Elle admira son profil aux traits bien incisés, aux lèvres pleines, évoquant une statue préhistorique ou bien un savant mégalomane de film d'horreur. Elle nota que lui non plus n'était pas pleinement humain : au premier abord il semblait jeune, mais de plus près on le sentait aussi ancien que son père. C'était une créature presque d'une autre espèce que le roi, par sa finesse et sa fragilité blême ; il appartenait cependant au même monde, qui était désormais aussi celui de Lame.

— Un jour vous accéderez au pouvoir ? demanda-t-elle, presque sans y croire.

Avec ces êtres, on avait l'impression de se trouver en présence de légendes vivantes. Peut-être le roi et le prince demeureraient-ils à jamais fixés dans leurs rôles, souffrant de plus en plus, se détestant sans relâche, formant une paire terrifiante et caricaturale : la grosse brute et le gringalet qui lui servirait de parasite.

Mais le prince la détrompa :

— Bien sûr, j'accéderai au pouvoir ! Les saisons changent !

Il haussa les épaules et ajouta :

— Je m'en fous. Il pourrait bien me tuer, je m'en fous. Mais lui s'accroche au pouvoir, et en plus il hésite à se débarrasser de moi. C'est son problème. Je ne vais toujours pas le régler pour lui. Entretemps, la roue tourne.

— Vers quelle configuration ?

Peut-être lisait-il dans l'avenir ou bien connaissait-il des prophéties, qui sait ?

En guise de réponse, à nouveau il haussa les épaules, cette fois avec tristesse. D'un geste de la main, il lui fit signe de se retirer.

— Je vous remercie de m'avoir choisie comme secrétaire, déclara-t-elle en sortant.

Il fronça un peu les sourcils, comme si les remerciements étaient superflus, et lui adressa un bref salut de la tête.

Elle referma la porte, bouleversée.

Vaste l'avait émerveillée lorsque, tel un crochet de fer, il l'avait arrachée aux enfers mous. Se privant de séjours à la surface, ce qui avait accentué ses mauvais instincts, il avait dépensé une fortune pour qu'elle ait un beau corps, vigoureux, d'allure jeune, au lieu des énormités difformes avec lesquelles elle avait dû composer, que ce soit sur terre ou dans les enfers mous. Sa loyauté envers Vaste demeurait donc entière. Elle pouvait fuir sa violence, elle ne le trahirait cependant pas. Mais Vaste n'était pas un intellectuel. C'était un soudard. Il avait eu le front de fuir sa terre natale pour signer un contrat aux enfers, devenant maître d'armes du prince héritier. Vaste n'était pas un personnage recommandable.

Tandis qu'elle l'était. Ayant purgé sa peine, elle demeurait sur place, innocente parmi les damnés et leurs bourreaux. À cause de sa stature morale, elle trouvait facilement refuge, d'abord auprès de Vaste, puis auprès des robots marmitons et, maintenant, auprès de Son Altesse le prince Rel. Tout cela lui arrivait facilement car, dans ce monde de cauchemar, elle était fondamentalement hors d'atteinte, déjà absoute.

Cependant, ce monde lui rappelait la terre. Le sacrifice d'une multitude d'animaux aux yeux tendres ou farouches, d'une cohorte d'humains nus et terrorisés, dans toute son atrocité gratuite, n'avait rien de typiquement infernal. Tout cela ne faisait qu'imiter tristement certains comportements humains. Elle se sentait chez elle dans cette horreur. N'en avait-elle pas été témoin cent fois, à la télévision ou dans les journaux ? Cette horreur avait été parfois justifiée par une rhétorique proscientifique dans le cas des animaux, ou bien pieusement condamnée, dans le cas des humains, par d'autres humains. Elle avait vu ceux-ci, comme le prince Rel lui-même, brandir leurs mains vides et témoigner que tout se passait sans leur consentement. Et rien n'avait changé.

Mais, dans sa vie actuelle, un événement imprévu venait d'avoir lieu. Ce même prince Rel l'avait choisie pour secrétaire. Lui qui, de tous ceux qu'elle avait rencontrés ici, personnifiait le mieux la tendresse, même marginale et bizarre, voilà qu'il lui avait demandé d'être à son service. Mieux encore, il se montrait disposé à se confier à elle, à lui parler comme à une égale, ce dès la première rencontre ! Quelle merveille !

Elle n'en attendait cependant pas trop. L'horreur pourrait éclater tôt ou tard : tant de cauchemars peuvent se tapir sous l'apparence harmonieuse de l'humeur tolérante d'un prince. Mais, enfin, chaque chose en son temps.

Pendant les jours qui suivirent, il arriva maintes fois à Lame d'interrompre un instant son travail à la cuisine pour laisser place, ne fût-ce qu'un instant, au souvenir lumineux de la silhouette du prince Rel se découpant, mystérieusement certaine d'elle-même, sur les cieux splendides et tourmentés des enfers durs, des enfers les plus durs. Cet homme – cet être plutôt –, elle voulait le protéger. Son père avait pour lui la justice des lois de cause et d'effet, auxquelles nul n'échappe. Ce vieux roi était le justicier fou qui accomplit les besognes que d'autres, plus fortunés, peuvent se passer de faire. Son père possédait la noblesse des catastrophes naturelles. Mais Rel en était l'écho questionneur. Sa mère, sans doute d'un caractère trop doux, était graduellement devenue malade et folle ; l'impératrice des enfers n'était qu'une pauvre dame perpétuellement effrayée, brisée depuis longtemps par la souffrance et les malheurs ambiants.

Tandis que Rel était d'une autre trempe. Lame le saisit dès ce premier contact. Il avait besoin d'appui. Il était l'avenir de ce monde terrible.

La promenade en carrosse

Cependant, Rel ne demanda pas tout de suite à Lame de travailler pour lui. À ce moment-là, il n'avait aucune tâche à lui confier. Elle demeura donc surtout à la cuisine, dormant en divers endroits que les robots lui recommandaient. À deux reprises elle retourna à la chambre qu'elle avait partagée avec Vaste, pour y prendre ses affaires. C'était désormais devenu un lieu de mort. Les tentures étaient tachées de sang ; le lit éventré ressemblait à l'aire d'un oiseau de proie. D'ailleurs, les vautours étaient nombreux dehors, attendant leur pâture.

Har, roi des enfers, passa deux semaines avec sa cour. Il ne tuait pas tous les jours mais, plein d'énergie destructrice, il la communiquait sans cesse à ceux qui l'admiraient. Tenue au courant de ses allées et venues par ses copains robots, qui ne possédaient que la loyauté des machines et appréciaient sa douceur féminine, Lame se débrouillait pour ne pas se trouver sur le chemin du roi, évitant Vaste du même coup, qui était l'un de ses fidèles. Il ne semblait d'ailleurs plus la rechercher. D'après ce que Lame avait entendu, la compagnie du souverain lui procurait de telles jouissances qu'il en oubliait l'existence des femmes. Elle entendit même insinuer qu'il était devenu le mignon du roi et que son anus, élargi par l'énorme pénis royal, saignait désormais comme le vagin d'une femme menstruée. Cette dernière affirmation, elle la prit avec un grain de sel : même aux enfers, les ragots existaient. À vrai dire, la situation inverse lui semblait plus vraisemblable, plus conforme aux anatomies des présumés partenaires, quoique plus scandaleuse, tout compte fait. Un roi enculé : présage d'une fin de règne.

Par le plus grand des hasards, elle les vit passer tous deux dans une galerie ouverte. La sauvagerie débridée du roi habitait aussi Vaste. À demi nus, ils allaient d'un même pas viril occire quelques victimes avant le dîner. Un instant, la main du roi se posa sur l'épaule de Vaste et celui-ci sembla en vibrer de bonheur. Avec embarras, Lame constata que le souvenir de cette brève scène l'excitait sexuellement. De quel drôle de corps était-elle à présent munie ? Ou, plutôt, quelles étranges zones de son esprit étaient-elles maintenant activées ?

En tout cas, elle devrait s'accepter telle quelle. Avoir honte de ce qui l'excitait, cela ne menait nulle part. Dans ce monde perverti, ses pulsions le devenaient aussi. Mais elle conservait sa liberté de penser et d'agir.

L'atmosphère du château n'en devenait pas moins bizarrement érotique. De plus en plus de monstres et d'êtres de la cour se promenaient à demi nus, parties génitales bien en vue, et se massaient mutuellement, un peu n'importe où. Des accouplements gémissants avaient lieu çà et là, en plein jour comme la nuit. Une sorte de folie amoureuse s'était emparée du roi et de sa suite, chevauchant la folie meurtrière. Les décorations d'os suspendus, les ornements d'onyx, d'hématite et d'acier se mettaient à luire autrement, comme si on les avait oints d'huile et de cyprine. Ce que les miroirs reflétaient, ce n'était plus tant les armes étincelantes et les curieux uniformes, que les épées alourdies de sang et les corps qui s'étreignaient. Il leur arrivait de s'égorger amoureusement, de se zébrer des caresses mordantes des verges et des ceintures de cuir épais. Le plus souvent, le sperme giclait en toute simplicité, dégageant son opulente chaleur et ses parfums vite rancis.

Lame ne se privait pas de circuler dans les salles enfumées. Personne ne lui prêtait attention et elle ne recherchait pas de partenaire. Elle participait à sa façon, qui était celle d'une observatrice discrète. Une vague excitation sexuelle la mettait dans un état d'esprit euphorique. Elle était curieusement soulagée de voir tous ces êtres cruels, difformes pour la plupart comme elle l'avait jadis été, oublier leur atroce agressivité pour se laisser aller à des râles, à des caresses somptueusement charnelles. Elle s'abandonna même à assister à la fin d'une orgie à laquelle le roi prenait part, et qui avait lieu dans la salle même du massacre de bienvenue. Là elle vit le roi, son grand sexe finalement retombant, assouvi, être couronné du panache d'un cerf et se redresser, puissante figure primordiale au corps rougeoyant et gris, pour caresser encore compagnons et compagnes qui lui rendaient les plus étonnants hommages. Assise un peu à l'écart, la reine, sur son trône, applaudissait.

Le prince était absent de tous ces rassemblements. Lame se demandait bien ce qu'il faisait. Les parfums aphrodisiaques lui faisaient songer au prince sur le mode de l'ironie : se masturbait-il tout seul ou bien était-il puritain ? Elle n'en savait vraiment rien et n'avait pas envie de perdre ses illusions sur sa pureté.

Quand elle se retirait, après le spectacle de la jouissance des autres, pour dormir parmi les provisions ou les vieux rideaux, elle ne manquait jamais de saluer le robot de garde. Ces machines complexes, au caractère humble et simple, demeuraient ses alliées. Se quêter un ou une partenaire aurait été déchoir à ses propres yeux. Elle avait déjà expié sa peine, elle ne voulait pas en mériter une autre. Ces divertissements de bourreaux repus lui rappelaient trop les enfers mous pour qu'elle y participât activement. Elle saluait donc le robot bien terre à terre et se recueillait avant de s'endormir, écartant les souvenirs d'horreur ou d'orgie pour évoquer autre chose, de précieux souvenirs d'enfance ou de lecture. Ceux-ci portaient peut-être le germe innocent de massacres et de déchéances diverses, puisque rien n'est à l'épreuve de la perversion. Ils n'en étaient pas moins beaux en eux-mêmes.

Finalement le roi partit, toute sa cour cahotant à sa suite. Ils descendirent le chemin caillouteux, en route vers de nouvelles tueries sans doute. Seuls le prince et son serviteur demeurèrent sur place : l'objet de ces deux semaines de meurtres et de débauches n'avait-il pas été d'amener le prince en grande pompe au lieu où il demeurerait pour se perfectionner dans le maniement des armes ? En tout cas, les choses redevinrent plus calmes.

Vaste reprit une allure plus humaine. Lame chercha moins à l'éviter; il semblait se raccrocher étrangement à sa présence, pour se rappeler qu'il était encore capable de sourire, de parler doucement. Tous les matins, il s'exerçait avec le prince dans la cour centrale, à présent bien nettoyée par l'action conjuguée de la pluie et des machines. Souvent, l'après-midi, c'était au tour de Lame d'accompagner le prince. Il lui dictait des textes, souvent dans des langues qu'elle ne connaissait pas. Il épelait parfois des pages entières, curieusement patient et amusé, allant jusqu'à jouer le rôle du professeur qui explique un contexte et toute une langue à l'élève appliquée qu'était devenue Lame. Elle mettait autant d'enthousiasme à apprendre ces nouvelles langues, à s'initier à de nouveaux univers, qu'elle avait jadis mis d'acharnement à demeurer secrétaire des enfers mous. Dans un cas comme dans l'autre, elle considérait son sérieux et son intelligence comme des planches de salut.

Le prince avait plusieurs correspondants à l'étranger. Les enfers communiquaient avec plusieurs autres mondes, dont aucun n'était aussi affreux que celui-ci. Il avait effectué plusieurs séjours dans toutes sortes de pays, certains terrestres, d'autres non, et il lui arrivait de les évoquer ou d'en montrer des images à une Lame éblouie. L'émerveillement la gagnait avec facilité. Cela la faisait se réjouir du peu d'attaches qu'elle entretenait avec les enfers. Entre les moments privilégiés qu'elle passait auprès du prince et le monde soumis aux plus bas instincts qui les entourait, le contraste la rendait tendre. Même si elle vivait seule, sans amant, elle se sentit embellir. Elle avait rétabli un contact, aussi ténu fût-il, avec les grands espaces extérieurs, ceux où les cieux sont libres, sans voûte de pierre ni brouillard de flammes. Elle rejoignait là son propre espace intérieur, la profonde liberté de son âme.

Le château, presque désert après les furieux massacres qui n'avaient épargné que peu de serviteurs, voyait son silence meublé par le ronronnement des robots, à peu près incassables. La plupart des vautours s'étaient envolés ailleurs. Vaste avait jeté par la fenêtre les tentures et les matelas souillés et en lambeaux. Il dormait par terre. Son corps, endurci par des années d'exercice, retrouvait du plaisir dans l'austérité. Pendant plusieurs jours, Lame remarqua un nuage gris flottant au-dessus du château, quand ce dernier n'était pas plongé dedans. Elle le considéra comme une douce manifestation de l'accalmie présente.

Vaste ne la menaçait plus du tout. De toute évidence, la forme de jouissance qu'il avait découverte auprès du roi des enfers l'avait laissé repu, et il ne recherchait plus du tout la compagnie de Lame, que ce soit pour la tourmenter ou pour lui demander de la tendresse. Il ne semblait plus la considérer comme sa propriété, comme celle dont il avait payé la guérison. S'agissait-il de grandeur d'âme ou de désintérêt ? Ou encore d'un abandon, face à la nomination de Lame, qui faisait d'elle son égale ? Sans doute un peu de tout cela. Lame se sentait soulagée, mais triste : elle désirait encore Vaste et persistait à ressentir de la gratitude à son égard.

C'était le seul homme à lui avoir vraiment fait la cour. Il avait beaucoup dépensé pour son bien-être.

Et puis, il était beau. Quel dommage : c'était un tueur ! Quelle malchance : il avait aimé la frapper ! Ils étaient séparés, la morale était sauve.

Il suffisait à Lame de pleurer de temps en temps pour sentir que la morale n'était pas tout. S'ils se croisaient dans un corridor, elle ressentait dans son corps le double mouvement du désir et de la crainte. Elle avait honte de ce désir, honte de cette crainte. Ayant expié ses fautes dans les enfers mous, elle était ennuyée de se retrouver vivante, avec de vraies passions, nouvelles même, toutes vives. Elle aurait préféré acquérir un esprit plein de sagesse et d'équilibre. Eh non ! Ce n'était pas encore pour maintenant !

Elle ne sombrait pas dans l'amertume et le désespoir. Son travail pour le prince Rel la captivait trop. Pour lui, elle serait la parfaite secrétaire. En passant, cela lui donnait l'occasion de comprendre de mieux en mieux ce monde étrange où elle vivait. Auprès du prince, les choses pouvaient être considérées rationnellement, ce qui, dans le désert paroxystique des enfers, était une oasis inespérée.

Cette oasis renfermait cependant en elle-même un autre désert : celui des certitudes morales et intellectuelles, de la camaraderie de bon aloi, du juste milieu où réside la vertu. Lame découvrait qu'elle éprouvait un fort penchant pour l'inavouable. Son intellect se passionnait pour les nouvelles connaissances à acquérir et condamnait d'un même trait rageur sa vie horrible sur terre, son séjour atroce aux enfers mous, sa passion profanée pour Vaste, et son plaisir à observer les orgies récentes. Cependant son cœur, frémissant loin du prince bouleversant mais raisonnable, vibrait encore pour le beau guerrier criminel et inculte qui l'avait tirée de la fange.

Des semaines se passèrent, et la situation changea graduellement. Sous la tutelle de Vaste, le prince Rel devenait un guerrier plus endurci. Son corps apprenait à se mouvoir avec une aisance féline, avec la résistance du câble d'acier dont on fait les ponts suspendus. Il manifestait une force accentuée par l'intelligence et le sens aigu du traquenard. Quand Lame était en sa présence, elle préférait éviter son regard, trop pénétrant. Ses mains agiles semblaient des os recouverts de cuir, ses sourcils noirs et touffus possédaient la grâce sinueuse de deux hippogriffes s'affrontant. Le parfum de violette dont il s'arrosait généreusement, à moins que ce ne fût là son odeur naturelle, achevait de faire de lui une créature d'une dangereuse bienveillance, un souverain encore endormi, qui feint peut-être la folie pour ne pas se faire abîmer par les pattes broyeuses et stupides d'un pouvoir paternel trop usé.

Lame ne savait trop s'il était plus vieux ou plus jeune qu'elle. Il lui expliquait des points de politique ou de justice avec l'enthousiasme d'un adolescent, et prenait parfois des poses d'oiseau de proie, puis il pouvait s'astreindre à sauver de la noyade le moucheron qui était tombé dans son verre d'eau. Avait-il jamais rencontré celui ou celle qui pourrait lui donner la réplique, le mener plus loin, lui permettre de se dépasser lui-même ? Elle en doutait.

Lame, avec son passé terrestre de lectrice avide de bandes dessinées et d'histoires de science-fiction, en vint à placer le prince parmi ses personnages préférés. Vaste, et le roi Har, somme toute, ne faisaient pas le poids. Ils empestaient la bière et le sperme. Ils ne s'étaient jamais vraiment donnés, mais avaient passé leur vie à jouer avec leur ascendant et leur charme. Ils préféraient les plaisirs virils et vulgaires du meurtre, de la pédérastie et du machisme aux défis de l'intelligence et de l'amour.

Lame se sentait de plus en plus responsable de ses préférences. Cet enfer où elle vivait, jusqu'à un certain point elle le construisait à mesure, tout comme elle avait en quelque sorte construit la terre à mesure qu'elle y avait vécu. Dans un cas comme dans l'autre, son expérience était sa seule réalité, son seul point de référence, et elle était responsable de l'importance qu'elle attachait à ses pensées. Elle méritait ce qu'elle voyait, et se demandait combien de temps dureraient son immunité et son innocence.

Elle demeurait donc partagée entre sa raison et son imaginaire, d'une part, qui lui faisaient voir les mérites de l'étrange prince héritier, et son corps et son cœur, qui lui faisaient regretter que Vaste fût celui qu'il était. Cependant, elle prospérait. Elle n'avait pas le temps d'être malheureuse.

Un jour, justement, Vaste vint la trouver, l'air complètement abattu. Il tenait à la main une enveloppe noire.

— Les juges m'en veulent, dit-il.

Lame lut la lettre. Vaste avait assassiné au moins trente-huit serviteurs du château, lors de la visite du roi et avant. Ces êtres avaient été embauchés pour travailler; Vaste n'avait rien à leur faire expier. Dans le style cinglant des enfers, le texte affirmait que, s'il s'était agi d'une couple de morts, la punition de Vaste aurait pu attendre après sa mort naturelle.

Mais trente-huit, sinon davantage, c'était trop. Il devrait bientôt expier sa faute dans les enfers durs. D'ailleurs, d'autres accusations de violence pesaient sur lui, venant de son passé terrestre.

« Vous ne pouvez nous échapper et nous avons tout notre temps, disait le texte. Travaillez donc encore auprès du prince. Une fois l'entraînement fini, nos bourreaux viendront s'occuper de vous. D'ici là, si vous êtes assez futé pour découvrir comment vous réhabiliter, ce dont nous doutons, vous pourrez peut-être diminuer votre peine. »

Vaste était bouleversé. Le remords le tourmentait. Il se rapprocha de Lame, redevenant affectueux, attentif : peut-être croyait-il que ce changement d'attitude aurait des conséquences favorables. Son comportement à l'égard des serviteurs et des robots s'empreignit d'amabilité. La vie était plus facile pour tout le monde. Lame lui demanda de redevenir son amant et il accepta. C'était le printemps pour elle. Elle savait que cela ne durerait pas, mais c'était quand même comme le printemps.

De nouveau, elle put dormir auprès de Vaste, le toucher, l'embrasser, sans crainte de taloche ou d'injure. Son corps était bon, dur et souple, fort et tendre. La justice des enfers ferait son œuvre ; Lame, elle, lui avait pardonné. Elle était soulagée de pouvoir le lui dire. Elle remit des tentures aux fenêtres et il monta un nouveau matelas. Ils formaient un couple en sursis, ce qui leur faisait ressentir, à l'un comme à l'autre, qu'ils avaient un cœur.

Autour d'eux, comme en eux-mêmes, des forces terribles se déployaient, la douleur et la mort étaient omniprésentes ; cependant, le moindre de leurs regards échangés manifestait l'envers de ce monde effrayant et témoignait de la possibilité d'être humain dans la tourmente.

Cela dura plusieurs années. Le château était calme, le prince était calme, Vaste était calme. Le monde grotesque et cruel des enfers était relativement calme aux alentours. Lame était plus heureuse qu'elle ne l'avait jamais été. Son corps était calme, son esprit aussi. Quand elle se regardait dans l'un des profonds miroirs des appartements clos où elle avait accès pour épousseter de temps en temps, elle voyait une femme étrange, mince et vigoureuse, sans âge, à la peau cicatrisée comme si elle avait été brûlée ou déchirée très longtemps auparavant. Elle n'avait pas l'air tout à fait humaine, sa taille était trop fine, ses cheveux trop noirs, et peut-être sa voix trop forte. Elle était belle, mais d'une beauté infernale, avec une touche d'exagération. Elle se demandait quelle était l'espérance de vie de ce corps-là, qui semblait bien résistant. Elle en avait peut-être pour quelques siècles avant de l'user : la plupart des créatures des enfers avaient une longue vie. Elle n'avait pas de menstruations et se supposait stérile. Franchement, elle ne se serait pas vue maman, ni dans ce décor-ci ni dans un autre.

Le monde du prince Rel était secret. Il lui faisait confiance, elle le sentait, mais il réglait beaucoup de ses affaires lui-même, sans rien lui dire. Elle songeait, peut-être par optimisme, que c'était pour la protéger qu'il ne lui disait pas tout. Loin de la capitale, il devenait plus assuré, plus éloquent. À cause de tout l'exercice physique qu'il faisait avec

Vaste, son dos s'était un peu redressé, et il maîtrisait mieux l'art de dissimuler sa bosse sous une cape ou un manteau ample. Pour la sexualité, on ne lui connaissait nul partenaire, et son humeur n'en était pas moins égale. Son serviteur personnel, Jean, qui l'avait accompagné ici, était aussi discret que lui.

Le prince prenait la plupart du temps ses repas en compagnie de Vaste. Celui-ci profitait de ce contact, qui l'apaisait malgré la menace des enfers chauds. Le prince le traitait presque comme un égal, et lui prodiguait renseignements et conseils quant à sa condamnation. Mais Lame se demandait si Vaste n'était pas trop découragé pour les écouter.

Quand elle les rejoignait, souvent après le repas, il arrivait que le prince parlât de son enfance dans un monde voisin des enfers, d'où venait sa mère. Il décrivait des prairies verdoyantes, de sinueuses rivières, un ciel gris ou bleu, une population d'artisans, d'artistes et de penseurs qui aimaient jouer du luth et aller à cheval. Ses traits fortement accusés devenaient mélancoliques. Un soir, Lame lui demanda s'il y retournerait un jour. Il hocha la tête, tristement.

— Il y a un présage, dit-il évasivement.

— Alors tant mieux.

Lame aimait les présages, qui ponctuaient le long crépuscule infernal comme les bornes pas trop fiables le long d'un chemin inconnu.

— Quel est-il ? avait insisté Vaste.

— Vous voulez vraiment le savoir ?

Les yeux du prince s'étaient faits pénétrants, deux saphirs noirs. Vaste soutint ce regard et s'exprima plus longuement qu'à l'accoutumée :

— Des siècles de tourments m'attendent. Vous êtes mon compagnon d'armes. Si vous allez au pays de votre enfance, le moins fou de nous deux aura le bonheur qu'il mérite et ça me fera du bien.

Le prince se leva, s'étira, reprit son siège. Finalement il dit :

— Si je vais là-bas, une partie de l'enfer s'y établira à son tour.

Il y eut un silence.

Lame nota que Vaste avait traité le prince de compagnon d'armes et non d'élève, ce qui impliquait que son entraînement s'achevait. Donc Vaste partirait sans doute bientôt, pour expier ses crimes. Dans la réponse du prince, un aspect suscitait sa curiosité, moins chargé d'émotion mais confirmant une impression qu'elle avait sur les enfers. Elle voulut clarifier cela par une question :

— Ainsi les enfers peuvent déménager ?

Mais le prince détourna la tête en un bref mouvement qui indiquait qu'il était préférable de ne pas aborder le sujet.

— En tout cas, conclut-il, je pense bien avoir encore besoin de vous deux.

Quelques jours plus tard, une lettre arrivait de la capitale : il était temps pour le prince de rentrer. Il fut entendu que Vaste et Lame l'accompagneraient. Mais, l'un comme l'autre, ils envisageaient ce départ avec crainte. Le prince aussi, d'ailleurs, et il ne tenta pas de le cacher. La trêve se terminait ; l'horreur ambiante allait sans doute reprendre ses droits.

Au cours des préparatifs du départ, le prince Rel mit Lame au courant du rôle que l'un de ses plus fidèles correspondants devrait jouer si les choses tournaient vraiment mal: cet homme était Sargad, l'un des principaux administrateurs du monde de son enfance. Il ne faudrait pas hésiter à lui demander de l'aide si nécessaire. Rel montra à Lame le sceau qu'elle devrait utiliser s'il ne pouvait plus lui écrire et qu'elle devait le faire à sa place. Il lui donna d'autres explications, en présence de son serviteur Jean. Tous se préparaient au pire, sans savoir quelle forme cela prendrait. Ces derniers jours furent extrêmement intenses et d'une sévère grandeur.

Lame vivait avec Vaste une relation étrange. Elle avait l'impression qu'il la désirait et la détestait tour à tour. Il aurait voulu qu'elle soit quelqu'un d'autre, peut-être, et alors se vengeait de la déception qu'elle lui avait causée. On lui avait fabriqué une vraie fille de l'enfer, à l'allure de plus en plus juvénile et musclée, pleine d'énergie, qui n'avait cependant rien perdu de son esprit calculateur, pessimiste et incroyablement tenace d'ancienne secrétaire. Il en était frustré, mais Lame ne s'en offusquait pas.

Comme elle ne s'était jamais rendue aussi loin avec un homme, elle préférait cela au rien du tout dont elle avait l'habitude. Les scènes, l'atmosphère lourde ou trop joyeuse, la passion charnelle, ce décor paroxysmique, elle n'en était pas écœurée. Dans cette place forte régionale aux cieux rougeoyants et enfumés, jamais elle ne s'était sentie aussi en vie. Elle n'en revenait pas de voir son corps continuer en somme à rajeunir, à embellir. Si Vaste ne l'appréciait plus, elle se savait malgré tout chaque jour plus resplendissante, plus susceptible de ressentir de la passion sans paraître ridicule.

Mais cette époque d'orages et d'émerveillements était sans doute en train de cesser. Elle aida le prince à emballer ses livres.

Au jour venu, tous deux montèrent dans le carrosse noir que Jean conduisait. Vaste était parti un peu avant eux, chevauchant et ouvrant la voie jusqu'à la capitale. Ils descendirent la pente raide, les chevaux freinant du mieux qu'ils pouvaient dans la poussière. Lame regarda les quelques vautours qui demeuraient sur place, puis vit défiler, en bas, les échoppes du carrefour. Le carrosse vira à droite, vers l'est, s'éloignant des enfers mous et passant au large des immenses enfers brûlants. Une fumée âcre et une odeur de viande brûlée pénétrèrent à l'intérieur. Le prince Rel ferma les rideaux.

— C'est le moment, déclara-t-il.

La curiosité de Lame fut piquée, mais l'aspect théâtral de cette déclaration l'ennuyait. Que voulait-il au juste ? Toujours pas coucher avec elle ! Ils avaient passé des heures en tête-à-tête au cours des derniers mois, sans se toucher. Qu'est-ce que cette promenade en carrosse pouvait présenter de si exceptionnel ?

— Vous ne savez pas à quel point on me surveille, affirma-t-il.

— Cette surveillance se relâche maintenant ?

— Oui.

— Et comment utiliserez-vous ces moments privilégiés ?

— Je commencerai par me déshabiller devant vous.

Eh oui ! Elle ne put s'empêcher de sourire. Son corps de belle fille désirable avait de l'effet.

Il remarqua son expression :

— Qu'est-ce qui vous fait rire ?

— Si je sortais des enfers mous, ou de mon séjour sur terre, vous n'auriez certainement pas envie de faire une chose pareille !

— Qu'en savez-vous ?

Très sérieux et sans hésiter, il entreprit d'enlever cape, veste et chemise. Il se pencha pour dénouer ses lacets, et elle aperçut sur ses omoplates quelque chose d'extrêmement curieux, qui l'effraya. Elle n'était pas sûre d'avoir bien vu, mais elle se tassa un peu sur le siège, tandis qu'il marmonnait :

— Et ce n'est rien.

Elle détourna les yeux tandis qu'il se démenait pour achever de se mettre tout nu dans le carrosse exigu qui cahotait sur la route. Puis elle le regarda de nouveau. L'impression de bizarrerie qui l'avait frappée plus tôt, elle ne la retrouva plus. Il avait l'air parfaitement ordinaire, avec un bon petit corps blafard et sans beaucoup de poils. Sa tête était étrange, et elle exprimait de l'embarras, de l'intelligence, de la noblesse même. Mais elle était posée sur un corps qui aurait pu appartenir à n'importe quel quidam. Du moins au premier coup d'œil.

Il se leva, se penchant pour ne pas se cogner la tête au plafond. Il tourna lentement sur lui-même, et elle vit qu'il avait vraiment un œil sur chaque omoplate, en train de la regarder. Bon, les gens des enfers étaient souvent bizarres. Ensuite, de nouveau face à elle, il fit une sorte de mouvement de *striptease*, même s'il était déjà sans vêtements : il ouvrit les cuisses en basculant le bassin vers l'avant, tout en écartant d'une main son pénis.

Elle en fut absolument ahurie.

— Vous voyez ? demanda-t-il.

— Rien du tout.

Un taré de plus, songea-t-elle, vexée.

— Mais regardez ! insista-t-il.

Il tâta dans sa cape et lui tendit une lampe de poche. C'est vrai qu'il faisait plutôt sombre, dans le carrosse aux rideaux tirés. N'osant le contredire, elle alluma. Il dirigea le faisceau vers son sexe.

Ah ! Il était hermaphrodite.

— Qu'est-ce que vous voulez que ça me fasse ? demanda-t-elle en éteignant la lampe.

— C'est un secret d'État, dit-il en se rhabillant un peu.

— Quelle idée !

— Et voilà pourquoi mon père me déteste.

Elle croisa les jambes. Elle aurait aimé avoir une cigarette.

— Mon pénis et ma vulve fonctionnent comme il faut, ajouta-t-il.

— Il y en a beaucoup comme vous, par ici ?

L'odeur de pourriture et de chair carbonisée était épouvantable. On entendait des cris atroces de loin en loin.

— Je ne crois pas.

Il lui offrit une pastille à la menthe.

Il y eut un silence. Elle regarda ses mains à elle, qui étaient très belles, blanches et fuselées, comme elle avait toujours rêvé d'en avoir. Elle regarda ses mains à lui, ou peut-être à lui-elle, qui étaient sans aucun doute d'allure plus masculine, avec une ossature plus forte.

Elle soupira d'embarras. Elle voulait le réconforter. Des années de travail ensemble, dans un excellent climat, pour finir par cette exhibition ! Malgré tout, se disait-elle, c'était quelqu'un de bien.

Avec une inconscience totale, elle lui prit la main. Tout changea.

La sensation était étrange, parce qu'elle touchait à une créature des enfers, alors qu'elle avait l'habitude du corps de Vaste. Toucher au prince Rel était comme se toucher elle-même. Elle aussi appartenait aux enfers.

Elle avait l'impression d'un spectre continu de couleurs allant d'elle à lui, du rouge au violet. De nouveau, elle le trouvait beau, quelle que fût la forme de son corps. Peut-être avait-elle envie de le protéger, lui plus ancien qu'elle et cependant d'apparence plus jeune.

Il inclina la tête sur sa poitrine, et elle passa la main dans ses cheveux bouclés, puis sur ses épaules, en faisant attention de ne pas lui mettre de doigt dans l'œil.

Elle le sentit en train de s'abandonner à elle. C'était enivrant.

Le soir tombait aux abords des enfers durs. Rouge et violet se mêlaient dans les hauteurs. Les chevaux qui tiraient le carrosse ralentirent, s'immobilisèrent, puis furent dételés. Personne ne vint déranger le prince. Dans la nuit fumeuse, emplie d'horreurs presque éternelles, le prince Rel fut l'amant de Lame.

— Je vous demanderai de ne rien dire, déclara-t-il au matin.

Elle le regarda replacer une mèche de cheveux tombée sur son front. Déjà il s'éloignait.

— Est-ce que… nous serons tout de même alliés ? demanda-t-elle.

Il lui montra son profil, semblable à celui d'un pharaon un peu décadent, et remua l'épaule pour mieux la dévisager de l'œil de tigre qui s'ouvrait sur sa gauche.

— Ça dépend de vous, finit-il par dire.

Elle sourit franchement.

— Moi, je voudrais bien, admit-elle.

Il tourna alors la tête vers elle, en faisant un geste, féminin ou efféminé, de la main droite. Elle eut peur : il était plus qu'humain, la personnification d'une énergie étonnante, infernale et cependant bienveillante. Son regard était aussi profond et aussi vide que celui de son père.

— Je ne trahis personne, affirma-t-il, et ses lèvres semblaient presque noires.

— Vous vous sentez condamné, répondit-elle.

— Menacé, plutôt.

Il ouvrit les rideaux. Des nuages tourmentés se déployaient au loin.

— Que dois-je faire pour vous permettre de triompher ?

— Je ne vous demande pas de m'être loyale.

— Refusez-vous que je le sois ?

— Cela vous insulterait ?

Elle détourna le regard, en avouant :

— Après tout, je ne connais rien à la loyauté.

Elle scruta ses souvenirs : à part Vaste, envers qui elle avait une dette de gratitude, elle n'avait été patiente pour personne, pas même pour elle.

L'aube étonnante et glauque se levait dans la longue plaine dévastée qui s'étend entre les enfers durs et la capitale. De rares oiseaux noirs, charognards sans doute, ornaient l'espace ou les champs parsemés d'arbres morts et de barbelés. La réalité de la mort et de la souffrance était omniprésente. Lame en eut le cœur brisé. C'était dur et bon.

— Vous pourriez apprendre, remarqua le prince en ouvrant un éventail de soie noire. Apprendre la loyauté.

— Vous croyez ?

— Ce pays-ci, cette terre-ci, murmura-t-il. Ils ne sont pas à moi, mais ils sont de ma nature. Ces nuages-ci, ces oiseaux-ci, ils ne m'appartiennent pas, ils sont libres. Mais ils sont de la même nature que moi.

— Est-ce que je peux vous toucher ? demanda-t-elle.

— Pourquoi ?

— Vous ne m'appartenez pas, mais vous êtes de ma nature.

— Un jour, je pourrais cesser de l'être.

— Je n'ai pas peur de souffrir.

— Ce n'est pas de souffrance qu'il s'agit, mais de trahison.

— Prince, je ne fais pas partie de votre monde. Vous êtes l'héritier ici, et je ne suis qu'une simple immigrante, établie ici par la bonté de Vaste et par la vôtre. Que je sois ou non amoureuse de vous, votre destin ne fera pas de nous des intimes. Les liens les plus forts qui peuvent m'unir à vous sont des liens de loyauté, et non de passion. J'ai la passion facile, mais je peux lui tordre le cou. Je sais me taire. Je sais me réprimer. Je sais m'empêcher de parler, de regarder tendrement, et aussi de jouir. Je sais me mépriser. Après tout, j'ai été une femme vivant sur terre. Une femme pas toujours voulue, pas si désirée que ça. Je sais faire comme si je ne m'en rendais pas compte.

— Alors ?

— Est-ce que je peux être votre alliée ? Puis-je m'exercer à vous être loyale ? Et, pour ce moment-ci, avant que la surveillance ne se resserre, avant que nous n'entrions en ville, ai-je votre permission de vous toucher ?

— Vous êtes la plus libre de nous tous. Pourquoi tenez-vous à vous mettre des chaînes ?

— À cause de votre beauté, et de votre solitude.

— Votre liberté est l'ornement des enfers. Ce monde d'horreur est un peu moins absurde à cause de vous. Nul ne vous menace, Lame, vous n'avez plus rien à expier, vous êtes pour chacun l'exemple de ce qu'il pourrait devenir. Il existe une vie après l'expiation, vous en êtes la preuve. Restez parmi nous, certes, vous êtes inaltérable et bienvenue. Mais ne vous abaissez pas à me servir. Demeurez ma secrétaire pour la forme, si les circonstances s'y prêtent, mais veuillez conserver toute votre liberté, toute votre solitude.

— Les liens qui nous unissent n'en seront que plus forts ?

— Oui, parce qu'intangibles.

— C'est bien ce que je pensais.

Elle cracha par terre. Il leva un sourcil.

— Les types se débarrassent de moi avec de la rhétorique, c'est fatal, expliqua-t-elle. Même un bizarre comme vous. Je croyais pourtant la tenir, ma belle histoire d'amour.

— Meilleure chance la prochaine fois.

Il se mit à se curer les ongles. Elle envisagea de sauter du carrosse et d'aller se perdre quelque part. Et où était rendu Vaste ? Loin en avant, toujours ?

Elle demeura sans rien faire, furieuse, jusqu'aux abords de la capitale noire, jusqu'à Arxann, capitale des enfers. Le carrosse semblait avancer tout seul dans les rues de plus en plus pavées. Au loin, on aperçut le palais, résidence du roi des enfers et de sa famille, destination du voyage. En un geste trop lent pour être irréfléchi, le prince Rel prit la main droite de Lame et la tint serrée. Il semblait à la fois terrorisé et maître de lui, comme si la peur était pour lui une seconde nature.

— J'aimerais vous en dire plus, confia-t-il. J'aimerais en faire plus, en dire plus. Plus tard j'espère.

Elle ne savait pas si elle devait le prendre au sérieux. Mais la détresse des enfers, elle, était réelle.

La capitale n'était pas une belle ville. Elle l'avait peut-être déjà été. Les gens, les hères, les diables qui la peuplaient formaient une foule triste, grise, à la nuque ployée. Les rues étaient poussiéreuses, non pas trop étroites mais trop mal-aimées.

— Quand y aura-t-il des combats ? murmura Lame.

Il lui serra davantage la main et se mordit les lèvres.

— Peut-on parler de liberté aux enfers ? poursuivit Lame.

Il ne répondit pas plus, mais elle se tourna vers lui et vit une larme lui strier la joue. Il l'essuya négligemment, d'un mouchoir de dentelle grise, puis il ploya la tête et se mit à pleurer encore plus. Elle tira les rideaux pour soustraire sa confusion aux regards publics.

Il se ressaisit aux abords du palais et se mit à regarder dehors, devant et derrière lui.

— Vaste ! s'exclama-t-il tandis que les chevaux gravissaient la pente.

— Oui, où est-il ?

— Il n'est plus avec nous.

— Où estil ? répéta-t-elle, soudain inquiète.

— On l'a probablement laissé derrière…

— Que voulez-vous dire ?

— Il avait une peine à purger, vous souvenez-vous ? Les gens des enfers durs se sont peut-être emparés de lui…

— Quoi ?

— Nous faisions les tourtereaux, et il se faisait jeter dans les flammes !

À son tour, Lame sentit les larmes lui monter aux yeux.

— Que peut-on faire ?

— Pas grand-chose. Pas tout de suite en tout cas.

Il se redressa.

— Bon, on arrive. Le spectacle recommence.

Le carrosse s'immobilisa dans la cour de la forteresse.

Ils descendirent sous les regards des gardes et des courtisans.

On montra à Lame où elle logerait. Il n'y avait qu'un lit simple dans sa chambre, et il ne fut pas fait mention de Vaste. Elle déclara que la malle de Vaste contenait de ses effets à elle. Elle résolut de conserver ce qui lui avait appartenu, au cas où, un jour, il reviendrait. N'avait-elle pas échappé, grâce à lui, aux enfers mous ? Si elle avait pu s'en sortir, pourquoi pas lui ?

Sa fenêtre, de nouveau, donnait sur un précipice, puis sur l'horizon ouest. Des immeubles aux formes curieuses découpaient leurs silhouettes. Plusieurs n'étaient que ruines. Les enfers étaient en train de mourir, songea-t-elle.

ARXANN

Dans cette nouvelle forteresse, elle apprit rapidement à s'orienter. Le soir même de son arrivée, elle pianotait sur le clavier d'un terminal lié aux fichiers des damnés. Oui, Vaste était aux enfers durs, aux enfers de flammes, pour y expier ses meurtres. Ici, elle ne connaissait pas encore les robots et ne savait pas si elle pourrait les utiliser comme confidents. Elle se contenta de fermer le terminal et d'aller pleurer dans sa chambre. Soudain, elle se sentait complètement seule, complètement étrangère en ce lieu menaçant, sinistre, qui épouvantait le prince héritier lui-même. Sa vie ne venait-elle pas de se changer une nouvelle fois en cauchemar ?

Elle se reprit, cependant. Le désespoir ne mènerait à rien.

Elle ignorait quand elle reverrait le prince et à quoi elle occuperait ses journées. La folie du roi des enfers, elle la sentait ici toute proche, et amplifiée par les murs épais et circulaires de cette immense tour noire où désormais elle habitait. Mais elle n'était pas prisonnière.

Tout autour de la forteresse s'étendait la ville, populeuse et grise. Puis, à l'horizon sud, n'étaient-ce pas les fumées et les flammes des enfers durs, les plus étendus de tous, pouvant accueillir des millions de damnés ? L'un d'eux, sans doute défiguré et anonyme comme les autres, était Vaste. Les cieux violets et rouges du crépuscule ne s'étendaient plus sur des amours d'un soir mais sur une longue douleur, une longue absence à venir.

Lame entendit une chanson plaintive monter de la ville. Combien de couples brisés abritaient ces toits ? Avant de s'endormir, elle se sentit moins seule.

Elle venait d'un milieu où l'horreur demeurait tout de même à petite échelle et où, avec le temps qui passait, elle avait pu se créer un réseau de connivences, et découvrir les lieux où se sentir chez elle. Ici, de nouveau c'était l'anonymat presque total, et l'impression d'être constamment scrutée par un regard malveillant. Elle s'ennuyait presque de la violence minable de Vaste, de ses insultes idiotes, de ses crises méprisables de petit gars de la surface qui s'enivre du plaisir de faire mal et de tuer. Ici, un tel plaisir était érigé en système.

Un robot lui annonça que, puisque le prince n'avait plus beaucoup besoin d'elle, elle serait désormais affectée aux archives.

Elle passait donc ses journées dans les soussols, à faire du ménage dans un fatras de documents anciens, qui ne manquaient pas d'intérêt. L'univers qu'elle découvrait était sadique, mais franc. Ce monde existait pour administrer des châtiments, il exécutait un travail dont nul ne voulait et le faisait ouvertement. La capitale était la cité des administrateurs, c'est-à-dire des bourreaux, qui étaient plus ou moins fous, à cause de la nature de leur tâche. Leur folie était en général froide, lucide, n'entravant pas beaucoup leur efficacité. Ils avaient moins de clinquant qu'à la campagne. Ils devaient rendre compte de leurs actes devant deux conseils : celui des étrangers, représentants des mondes qui envoyaient leurs criminels et gens de basse vertu expier leurs fautes dans ce monde-ci après leur mort, et celui des juges des enfers, créatures évanescentes, qui n'existaient pas sur le même plan de réalité que les autres. Eux étaient extrêmement craints : ils prononçaient les sentences qui fixaient le destin.

On les appelait aussi juges du crépuscule ; on disait qu'ils siégeaient en un lieu gris, poussiéreux, où les morts, devenus gris eux-mêmes, défilaient avant d'acquérir un corps apte à subir les tortures des enfers et à en souffrir beaucoup, pendant longtemps. Certains, bien sûr, n'aboutissaient pas aux enfers après le jugement ; certains aussi, comme Lame, n'y avaient été condamnés qu'à une peine légère. Tant mieux pour eux. Mais beaucoup arrivaient ici pour être rôtis, gelés, découpés en rondelles, etc., pendant des milliers d'années, sans perte de conscience.

Pas question de réhabilitation, en général, pour ces êtres ; cette possibilité avait souvent été présente dans leur monde d'origine, et ils ne s'en étaient pas prévalus. Maintenant il était trop tard. Une fois la peine échue, ils iraient se faire pendre ailleurs, ou bien se rendre utiles au monde s'ils se rendaient compte que c'était ce qu'ils avaient de mieux à faire.

Lame essaya de savoir ce qui s'était passé dans le cas de Vaste : il avait tué quelques dizaines d'êtres sans autorisation, puis il s'était tenu tranquille, tout de même un peu comme s'il avait perçu la gravité de ses actes : cela ne pouvait-il pas être considéré comme un changement d'attitude, qui aurait pu alléger sa peine ? Il lui fut répondu que non : tout ce qu'il avait fait, au cours de cette période, ç'avait été de ne pas aggraver son cas. Elle put aussi se renseigner sur sa propre situation : quand elle était sur terre, son attitude défaitiste devant la vie lui avait valu sa sentence. Elle aurait pu se mettre au service d'un idéal ; elle s'était complu dans l'inaction, passant son temps à ressasser de vieilles injustices au lieu de tourner la page. Ce qui lui avait valu une peine légère aux enfers mous.

Si elle n'avait pas été sur le point de terminer sa peine, jamais Vaste n'aurait pu la sortir de là. S'il n'avait pas été là, elle serait sans doute morte, prenant naissance dans un autre monde, en un milieu dont l'atmosphère aurait sans doute été assez semblable à celle de l'endroit où elle vivait actuellement. Elle y serait encore très jeune, alors qu'ici elle était adulte, avec de l'expérience et des souvenirs. C'était une différence importante.

« En somme, il y a deux justices, se dit-elle. Celle des juges crépusculaires porte sur l'ensemble des actes de Vaste : il a mal agi, c'est clair. Cependant, j'ai ma justice aussi, qui ne vaut peut-être que pour moi, mais je n'ai d'autre point de vue que le mien, ultimement. Selon ma justice, Vaste m'a surtout fait du bien. Le prince Rel peut hésiter à accepter que je lui sois loyale, c'est son affaire ; Vaste, lui, ne peut pas donner son avis. Alors, je lui serai loyale. Il m'a tirée des enfers mous; j'essaierai de le tirer des chauds enfers durs.»

Elle ne savait pas comment s'y prendre; prétendre que c'était possible lui donnait une raison de vivre.

Elle pouvait en vouloir au prince de ne s'être approché d'elle que d'une manière ambiguë. Il n'en était pas moins pour le moment son seul point de repère. Elle avait l'impression de vivre entourée de fous ou d'idiots, dans un brouillard où seul Rel avait des yeux pour voir.

Elle ne le croisait pas souvent, mais, chaque fois, la rencontre était pour elle importante. Il se tenait chaque fois plus droit, avait l'air sans cesse plus assuré. Même si elle était au courant des rumeurs selon lesquelles le roi son père l'utilisait comme souffre-douleur et aimait l'humilier en public, quand elle apercevait le prince, elle n'avait pas l'impression d'un être diminué mais d'un jeune chef qu'on veut suivre, qui magnétise de mieux en mieux l'énergie de son entourage. Son androgynie demeurait inconnue, et sa vie privée voilée.

«Je me demande pourquoi il m'a confié ce secret, songeait Lame. Je ne l'ai pas cherché. Je ne sais pas s'il me désire encore, ni si je le désire. La sagesse que je pressens en lui, je voudrais qu'elle s'épanouisse. Je voudrais qu'il soit un amant de la vraie justice. Ce monde-ci administre la justice, mais il est plein d'horreur. Rel pourrait-il permettre de changer cette réalité? J'aimerais l'aider dans ce sens.»

Elle ignorait si le potentiel qu'elle percevait en lui n'était qu'un mirage. Même si ce n'était qu'un mirage, elle trouvait approprié de l'observer. Sa perception d'elle-même se trouvait améliorée sans effort puisqu'elle voulait quelque chose de bon.

Elle songeait à Rel, ou à Vaste, et s'abandonnait à l'intuition que leur présence ici à tous trois avait un sens. Pour autant qu'elle se souvînt, elle n'avait jamais rien éprouvé de tel. Sur terre comme dans les enfers mous, elle avait vécu entourée d'une gangue et d'un carcan de rage et d'indifférence. Ces saletés étaient en train de tomber depuis sa rencontre avec Vaste, et elle se trouvait de plus en plus svelte, nerveuse et vivante, en plein centre de pouvoir, dans la capitale au plus creux des enfers.

Si elle croisait le prince au détour d'un corridor, il ne manquait jamais de la saluer d'un geste discret de la tête ou d'un simple regard. Elle mit du temps à trouver à quelle image ancienne cela faisait allusion et finit par le trouver : dans le Yiking, qu'elle avait lu sur terre, à la deuxième ligne de l'hexagramme trente-huit, celui des oppositions :

« Rencontrer son prince dans une ruelle. Il n'y a pas d'erreur. »

Quand cette ligne seule est changeante, comme elle l'apprit en dénichant une copie écornée du texte, on obtient le vingt et un, celui où l'on mord dans la perversion qui fait obstacle en utilisant la force de la justice. Cette coïncidence réjouit Lame. Certains des compagnons du prince se mirent à la saluer eux aussi, et Lame eut l'impression d'un petit noyau de bonté noire et profonde faisant irruption dans l'horreur boursouflée des châtiments et des bourreaux, d'une sorte de piqûre d'épingle presque invisible mais essentielle.

Tandis qu'elle découvrait ainsi une sorte de dignité que personne ne lui contestait, Lame s'exerça également à élargir ses horizons. Son travail lui laissait des loisirs ; elle les utilisa à découvrir la ville, qui était d'ailleurs desservie par un bon système de transport en commun.

Du côté sud, un jour, elle trouva l'esplanade des échoppes de diseuses de bonne aventure, de vendeurs de romans à l'eau de rose importés d'autres mondes, le repaire des prestidigitateurs et autres étrangers bienveillants. Là, une petite tente attira son regard : l'entrée en était fermée, mais une douzaine de monstres et d'éclopés faisaient la queue. Une pancarte délavée indiquait : *Bonne âme*. Les heures d'ouverture étaient affichées.

Lame observa un peu : un éclopé sortit bientôt, le visage détendu, remplacé auprès de la bonne âme par un monstre puant.

Elle nota les heures d'ouverture et se débrouilla pour arriver en avance, quelques jours plus tard. Elle avait envie de se confier à une bonne âme.

Son tour venu, elle pénétra dans la petite tente grise. Une terrienne l'accueillit. Ni jolie ni bien habillée, elle était un peu maigre, d'âge mûr avec l'air très gentil. Face à elle, Lame se sentit une allure sophistiquée. Ne s'était-elle pas fait les ongles le matin même ?

— Je voudrais sortir mon amant des enfers durs, annonça-t-elle.

— Pauvre enfant, dit la bonne âme.

— Je crois que c'est possible, insista Lame.

Elle lui expliqua dans quel secteur il était, quel était le numéro du puits de flammes où il était plongé, et lui raconta leur histoire.

La bonne âme en savait long sur les enfers chauds. Elle donna à Lame un rendez-vous en dehors des heures d'ouverture, pour ne pas retarder trop ceux qui faisaient la queue. Elle la salua avec un regard triste. De toute évidence, elle ne croyait pas ce projet réalisable. Elle inviterait sans doute Lame à accepter la situation. Pourquoi pas ? Cette gentille dame était prête à lui consacrer un peu de son temps afin qu'elle comprenne mieux l'inévitable. Ce serait une expérience nouvelle.

En rentrant vers la forteresse, cette fois-là, Lame se surprit à trouver que la capitale des enfers évoquait la ville qu'elle avait habitée sur terre. Les édifices et les maisons avaient des proportions semblables. La principale différence venait de la sensation qu'elle avait d'elle-même : laide, délaissée et hargneuse sur terre ; belle, amoureuse et prête à prendre des risques ici. Anxieuse là-bas, confiante ici. Mais elle n'avait rien eu à craindre là-bas, sinon sa haine d'elle-même, tandis qu'ici ses amours, probables chimères, pourraient lui faire oublier la menace bien réelle due au voisinage de ce fou dangereux qu'était le roi des enfers.

Brusquement son humeur changea ; elle songea aux enfers chauds, réputés plus épouvantables que tout ce qu'elle avait pu vivre ou imaginer. La bonne âme avait sans doute raison de la regarder avec tristesse. Pauvre Vaste !

Le soir tombait. Dans une ruelle aux abords du château fort, Lame croisa un groupe de jeunes, bruyants et joyeux. Parmi eux se trouvait une très jolie fille, qui jeta à Lame un regard espiègle. Lame mit un moment avant de replacer ce visage : c'était le prince Rel, qui avait choisi de se manifester cette nuit-là sous sa forme féminine. Elle en fut davantage démoralisée. Qu'il s'habillât en femme quand le cœur lui en disait était somme toute complètement banal, puisqu'il était aussi femme ; mais que cela coïncidât avec une attitude insouciante, qui ne lui était pas coutumière, c'est ce qui la choquait et l'inquiétait. Était-il/elle en train de craquer ? Ou de l'abandonner un peu plus ? Elle soupira.

Quelques jours plus tard, elle se rendit au café où la bonne âme lui avait donné rendez-vous.

— Je me rends aux enfers chauds dans dix jours, annonça celle-ci. M'accompagnerais-tu ?

Soulagée, Lame eut les larmes aux yeux. La bonne âme la consola un peu, et elle se mit à pleurer encore plus. Personne ne leur accordait d'attention. Elle mit du temps avant de pouvoir s'arrêter.

— Que dois-je vous donner en échange ? demanda-t-elle.

— Rien : tu ne fais que me tenir compagnie. Mais tu auras peut-être à répondre de ta présence auprès des juges du crépuscule. S'ils la notent, ce qui est loin d'être certain.

— Je ne veux pas me cacher.

— Dans ce cas, le plus simple serait que tu leur exposes ton cas.

— Vous les connaissez ?

— Je vais chez eux demain.

— Je peux vous accompagner ?

— Et ton travail ?

— Je m'arrangerai.

La bonne âme examina Lame.

— Il n'est pas impossible, déclara-t-elle, qu'ils te demandent de payer ton droit de voir Vaste avec ta beauté, ou bien ta santé, ou encore ton intelligence, ta mémoire, l'acuité de tes sens. Es-tu prête ?

— Je le serai quand je paraîtrai devant eux.

Le lendemain, à l'aube, la bonne âme et Lame prirent un tapis roulant vers l'est. Ce tapis, à ciel ouvert, traversait les banlieues. Elles en descendirent bientôt et, après quelques minutes, se trouvèrent face à des portes d'acier.

— Tu es bien à jeun ? vérifia la bonne âme.

Lame hocha la tête.

— Tu es sûre que tu veux venir ?

— Oui.

— Bon, allons-y.

— Attendez. J'aimerais vous poser une question.

— Oui ?

— Comment vous appelez-vous ?

— Roxanne.

— Dans la mythologie, Roxanne était aimée d'un homme laid mais en aimait un autre, qui était beau.

— Je m'en fiche, répondit la bonne âme avec l'aplomb des gens des enfers. Mon nom rime avec Arxann, la capitale de ce monde-ci. Ça, ça me plaît. Bon, sois prête.

Elle annonça leur arrivée, et les portes d'acier s'ouvrirent sur un sas. Elles y pénétrèrent. Au bout d'un moment, avec un haut-le-cœur, Lame eut l'impression de se défaire en morceaux pour pouvoir entrer dans un autre univers. Les portes s'ouvrirent de nouveau, cette fois sur le monde brumeux et rocheux des juges du crépuscule, qui déjà, elle le voyait, la scrutaient de leurs regards ardents.

Elle perdit Roxanne de vue et se retrouva sur un piédestal de pierre grise.

— Tu n'es pas morte. Que viens-tu faire ici ? lui demanda-t-on.

— Confronter votre justice à la mienne.

Elle exposa son cas, avec l'impression de ne pouvoir dire que la vérité, toute la vérité.

Quelques paires d'yeux incandescents clignèrent pour toute délibération.

— Vaste t'a donné dix sous, et tu voudrais lui rendre un million, déclara une voix.

— L'amour et la beauté valent mieux que dix sous, répondit-elle.

— Non, ils apportent souvent la ruine. Et ils ne durent pas.

— En tout cas, je voudrais soulager la douleur de Vaste, par gratitude. J'ai droit à ma vision des choses.

— Chaque être a droit à sa vision, mais il faut payer pour.

— Quel est le prix, dans mon cas ?

Le piédestal où elle s'était trouvée s'enfonça lentement jusqu'au niveau du sol, et un des serviteurs des êtres du crépuscule lui fit signe de retourner vers le sas.

Tandis qu'elle y parvenait, elle entendit :

— Fais ce que tu veux dans les enfers, Lame.

Roxanne était déjà dans le sas.

— Vos affaires ont bien été ? demanda Lame quand elles furent dehors.

Elles cassèrent la croûte sur le tapis roulant, en faisant attention de ne pas laisser tomber trop de miettes pour ne pas encrasser les engrenages.

— Alors tu as ton visa d'entrée, constata Roxanne.

Lame craignit d'être devenue subitement chauve, difforme ou avec des cornes. Roxanne indiqua sa main gauche. Une sorte de tampon violet était apparu imprimé sur le dos, comme on en met dans les discothèques ou dans les serres d'exposition. Mais ce tampon-ci était complètement indélébile, un vrai tatouage. La griffe des juges était marquée au centre. Tout autour, une belle calligraphie se lisait : entrée aux enfers.

Roxanne lui montra sa propre main gauche, marquée de manière identique.

— Croyez-vous, demanda Lame, que l'amour et la beauté ne valent rien ?

— Tout dépend de ce qu'on veut dire par amour, et par beauté.

— Je n'ai jamais autant aimé que ces jours-ci, remarqua Lame, et je n'ai jamais été aussi belle. Le prince Rel m'a dit que j'étais l'ornement des enfers.

Elle regarda la banlieue et la ville, qui défilaient de part et d'autre comme pour lui rendre hommage. Ses longs cheveux noirs ondulaient au vent. Des anneaux d'or scintillaient à ses oreilles bronzées et des bracelets cliquetaient à ses chevilles légères. Elle portait une longue robe rouge, qui mettait en valeur sa magnifique poitrine et sa taille fine.

— Bienvenue aux enfers, commenta Roxanne.

— J'y suis depuis des années.

— Maintenant ton accès aux différentes régions n'est limité par personne. Ceux du crépuscule t'ont jugée favorablement. Sois-en digne.

— Comment ?

— Rends-toi utile.

Dans les jours qui suivirent, Lame put quitter son emploi au palais pour venir travailler avec Roxanne.

Les deux femmes logèrent ensemble, louant une grande chambre dans un petit hôtel. La nouvelle de l'hermaphrodisme du prince héritier se répandait comme un feu de poudre, faisant scandale. Il se passait évidemment les pires atrocités aux enfers, et elles ne surprenaient personne. Tandis qu'une singularité physique, qui n'avait rien de difforme, mettait la capitale en émoi. Lame était vraiment contente d'avoir pu quitter le palais. Ici, dans le quartier des étrangers, elle pouvait ironiser en toute tranquillité sur les déboires de la famille royale infernale.

Tous fous ! Tel était son sentiment. Vaste avait été fou, le roi, la reine et leur prince aussi. À présent qu'elle fréquentait Roxanne et ses amis venus d'ailleurs, Lame avait l'impression d'avoir constamment envie de pouffer de rire quand elle pensait à tous ces êtres bizarres qu'elle avait récemment fréquentés. Et à ceux qu'elle avait aimés. Le prince ne lui avait pas demandé de lui être loyale. Tant mieux !

Pour le moment, en tout cas, elle se rendait utile. Elle servait de secrétaire à Roxanne et apprenait ainsi à connaître une variété de damnés plus ou moins autonomes, qui voulaient un rendez-vous avec la bonne âme. Celle-ci, afin d'alléger leur souffrance, se mettait souvent dans un état second pour les secouer, les insulter ou encore leur dire de belles choses. Elle faisait sortir de leur corps toutes sortes de saletés, puis leur donnait de l'onguent, de la tisane, en plus de réconfort moral. De telles techniques n'émerveillaient pas Lame, qui aurait préféré un traitement plus rationnel des maux infernaux. Cependant, les damnés eux-mêmes semblaient contents. Comme Roxanne se démenait chaque jour à tâcher d'améliorer leur sort, elle rentrait fatiguée, affamée ; Lame s'était chargée de faire le marché et la cuisine, le plus souvent.

Depuis sa rencontre avec les juges du crépuscule, elle ne ressentait plus grand-chose envers Vaste, ni d'ailleurs envers Rel. Une fois la surprise passée, Rel déguisé en fille facile la dégoûtait complètement. Il n'aurait pas pu rester digne un peu plus longtemps ? Ce qu'elle avait perçu en lui de grandeur et d'intelligence n'avait donc été qu'un mirage ? Ce monde-ci méritait-il son statut d'enfer, même si ceux qui le peuplaient étaient vraiment bêtes ?

Les damnés avaient sa sympathie ; pas les autres.

Elle en parlait avec Roxanne, qui expliquait qu'elle était encore en état de choc et aurait sans doute une meilleure vision de la situation quand sa nouvelle vie lui paraîtrait plus banale.

Parfois Lame pouvait entrer sous la tente de Roxanne et être témoin de son travail. Elle la voyait caresser la tête monstrueuse et fiévreuse d'un homme qui avait assassiné sa femme parce qu'elle avait un amant, elle l'écoutait rassurer les voleurs et les vengeresses, et elle avait parfois l'impression que des nuages de victimes apparaissaient, pour accuser ou pour pardonner, ce qui revenait un peu au même. Il lui semblait que des nuées de victimes crépusculaires se déployaient dans l'espace exigu de la tente, le plus souvent impassibles, indifférentes, tourmentant infiniment leurs agresseurs par leur simple présence évanescente et sereine. À ces foules et à ces hordes de morts et de fantômes, animés ou peut-être même créés par la seule justice, Roxanne s'opposait, protégeant les damnés qui lui rendaient visite avec l'aplomb irréfléchi d'une tigresse défendant ses petits.

— Mais… la justice ? demanda une fois Lame.

— Ce n'est pas ma responsabilité.

Lame insista, et Roxanne finit par dire :

— Bon, on ira bientôt rendre visite à Vaste.

Les saucisses et les glaçons

Un bon matin, donc, elles prirent l'un des tapis roulants qui menaient aux enfers durs. Cheveux au vent, les deux femmes s'y tenaient debout. Un couple de hères verdâtres s'était blotti pas trop loin d'elles. Le vent était à peu près silencieux. Elles laissèrent à droite la route des enfers froids de première classe et choisirent plutôt l'embranchement vers les brasiers. Les hautes colonnes de flammes puantes et de fumée qui marquaient l'atmosphère entière de ce monde-ci se rapprochaient. Dans le silence, elles commencèrent à entendre des hurlements de douleur et des crépitements sinistres.

Un robot contrôleur arriva sur le tapis roulant. Roxanne et Lame lui montrèrent leur main tatouée, qui servit, comme prévu, de permis d'entrée.

Curieusement, la température demeurait tolérable.

— C'est parce que nous ne sommes pas damnées, expliqua Roxanne. Ce châtiment ne nous concerne pas. On aurait beau plonger dans les flammes, on ne brûlerait pas. Par contre, on puerait.

— Pourquoi ?

— Avec tous ces corps qui tournent dans les flammes pour des siècles ou des millions d'années – les condamnations aux enfers durs sont souvent très longues –, eh bien, ça finit par être crasseux, le brasier, comme de l'huile pour fondue bourguignonne qu'on aurait utilisée trop longtemps.

— Je vois.

— Les enfers chauds, d'ailleurs, ça fait penser à une cuisine où tout serait à la fois carbonisé et vivant. Tu ne trouves pas que ça sent le steak ?

C'était vrai.

— Tu vas voir, on va revenir en ville et les chiens vont nous suivre.

Lame se sentit un peu démoralisée. Elle aurait préféré que son entrée aux enfers chauds soit entourée d'un tragique panache. Mais ça sentait le gril, et elle devrait se faire un bon shampooing au retour. Déjà ses magnifiques boucles noires s'alourdissaient de suie.

— Bon, où elle est, ta saucisse ? ronchonna Roxanne en déployant un plan des lieux.

— Saucisse ?

— Ce type – comment s'appelletil ? – Vaste.

Lame ne comprenait plus. Saucisse ?

— C'est de l'argot de bonne âme, expliqua Roxanne. Tu comprendras en voyant tes premiers damnés d'ici.

En effet, ils avaient l'air de saucisses. De saucisses géantes, hurlantes, et bien cuites. Depuis des siècles, sans doute.

Lame eut envie de s'évanouir, mais ne fit que se mettre à pleurer.

— Les glaçons sont plus à plaindre, commenta Roxanne en prenant Lame dans ses bras, d'un geste à la fois maternel et ennuyé.

Lame déduisit que les glaçons, c'étaient ceux des enfers froids.

Elles sautèrent plusieurs fois, changeant de tapis roulant, pour suivre les indications du plan. Le petit point rouge dans le labyrinthe des lots indiquait Vaste.

Elles le reconnurent tout de suite : il n'était pas de la même couleur que les autres, parce qu'il venait pour ainsi dire d'arriver.

Plongé, comme deux douzaines de camarades d'infortune, dans un cercle de flammes tourbillonnantes, il tournait allègrement, montant et descendant selon les courants de convexion qui agitaient les flammes huileuses. Celles-ci décrivaient un cercle, qu'enjambait un petit pont. Les deux femmes l'empruntèrent pour se tenir sur l'îlot noir au milieu. Les damnés brûlant et hurlant de douleur qui tournaient sans fin autour d'elles évoquaient, toute horreur mise à part, les dauphins ou les orques apprivoisés d'un zoo. Lame s'imagina en train de leur lancer des bouts de pain.

Elle essaya timidement d'appeler :

— Vaste ! Vaste !

Le damné plus rose que les autres ne donna aucun signe d'avoir compris.

— On ne s'y prend pas comme ça, nota Roxanne.

Elle fit un signe à un robot qui n'était pas trop loin. Il s'approcha, une gaffe de métal à la main. Elle lui indiqua le damné rose.

D'un geste vraiment habile, le robot le saisit par le crochet de sa gaffe, ce qui lui fit pousser un hurlement particulièrement strident. Vaste fut hissé hors des flammes et le robot le laissa tomber lourdement sur le sol huileux et noirci de l'îlot encerclé de flammes. Le crochet fut retiré et, tandis que le robot vaquait à d'autres affaires, Lame nota la profonde blessure laissée par l'acier de son crochet. Il en suintait une sorte de jus de cuisson.

Elle en fut tellement bouleversée qu'elle ne pouvait plus pleurer.

— Comment est-ce qu'on lui parle ? demanda-t-elle à Roxanne.

— En général on ne peut pas leur parler. Leur monde et le nôtre sont très différents. Leur corps est fait pour souffrir et endurer la souffrance. Leur esprit est complètement captivé par la douleur, très réveillé, souffrant atrocement, de manière variée et sans répit. Ils ne connaissent ni sommeil, ni repos, ni halte d'aucune sorte. Une bonne âme comme moi ne peut sans doute rien pour Vaste.

— Alors, qui peut quelque chose ? On s'est donné la peine de venir ici pour rien ?

Roxanne haussa les épaules. Elle se pencha sur Vaste, le saisit par les bras. Ses yeux, ses oreilles, ses narines, tout était comme couvert d'un voile de peau cornée. Ses doigts et ses orteils étaient attachés entre eux, comme enrobés d'une couenne rousse. Il n'avait plus de cheveux. Son sexe était bien en vue, probablement pour lui procurer un maximum de souffrance. Roxanne secoua Vaste comme pour le réveiller, ce qui fit gicler de l'huile sur la robe de Lame. Il ne réagissait qu'à peine.

— Essaie, toi, demanda-t-elle à Lame.

Lame s'assit, posa la tête de Vaste sur ses genoux, lui chuchota des choses là où ses oreilles étaient enfouies. Elle pleurait, et ses larmes coulaient le long du bras de Vaste jusque dans sa blessure, ce qui semblait leur être tout à fait égal, à l'un comme à l'autre. Roxanne s'assit aussi et se mit à chanter une berceuse. Lame s'en fichait vraiment, mais cela faisait tout de même incongru, une berceuse au sein des enfers.

Comme elles n'étaient pas pressées, les deux femmes restèrent là un bout de temps, tandis que leurs vêtements s'imbibaient d'huile tiède et se maculaient de suie. Pour elles, il ne faisait ni trop chaud ni trop froid. Un jeu subtil de simulations les abritait de ce qui faisait vraiment mal. Étendu parmi elles, Vaste en profitait peut-être pour se reposer. C'est ce que Lame souhaitait, même si, bien sûr, n'importe quel damné était aussi digne que lui d'un tel répit.

À force de pleurer, elle finit par réveiller Vaste un peu. Elle put soulever la couenne de ses yeux, et ils se regardèrent.

— Je voudrais te tirer de là, dit-elle. Tu m'as fait du bien, un jour.

Le robot réapparut, indiqua que la trêve était finie et d'un coup de pied précipita Vaste dans les flammes tourbillonnantes.

Roxanne et Lame se relevèrent, s'étirèrent et se dirigèrent vers le tapis roulant.

Non loin de la capitale, Roxanne expliqua à Lame que ce serait à elle, désormais, de rendre visite à Vaste, puisqu'elle avait réussi à le réveiller aujourd'hui.

— Une bonne âme comme moi ne peut rien pour lui, mais toi, tu peux quelque chose.

— Pourquoi ?

— Tu as un bon contact avec lui : on en a eu la preuve.

— Pourquoi ? demanda de nouveau Lame, qui se sentait comme une petite fille.

— Peut-être parce que tu l'aimes.

— Je ne sais plus si je l'aime.

— Pas besoin de se sentir liée ; l'énergie est là, sans doute.

— Comment ça marche ?

— Ce n'est pas clair.

— Tu pourrais me donner des exemples ?

— Je pourrais te raconter ma vie !

— Oh oui !

Elles rentrèrent chez elles, se lavèrent, mangèrent et tombèrent endormies. Cependant, quelques jours plus tard, lors d'un moment libre, Roxanne commença à parler de sa vie à Lame, en mettant l'accent sur les circonstances dans lesquelles elle était devenue bonne âme.

ÉLÉMENTS DE L'AUTOBIOGRAPHIE DE ROXANNE

— Je suis née à Montréal, dans les années cinquante…

— Montréal ?

— Tu ne connais pas ?

— Non, ni des années cinquante.

— Oh, alors tu dois venir d'une autre terre que la mienne. Il y en a plusieurs. Montréal, c'est une ville, sur une grande île, en Amérique du Nord. Il fait froid l'hiver et chaud l'été.

— Dans le style glaçons et saucisses ?

— Pas vraiment. C'est un lieu habitable, pas un enfer. En plus, les maisons sont chauffées l'hiver et parfois rafraîchies l'été. Quant aux années cinquante, c'est simplement une indication de date.

— Je m'en doutais.

— J'étais le seul enfant de mes parents et je vivais dans un quartier riche. Sauf que je ne savais pas ce que ça voulait dire.

— Je comprends. On ne peut pas connaître le monde d'un coup.

— C'est ça. Bon, j'ai grandi. Un jour, quand j'étais adolescente, j'étais à l'école et le chef du pays voisin a été tué. Ça a fait tout un truc, parce qu'il était censé avoir été quelqu'un de très bien. Les étudiants plus vieux que moi, ceux qui allaient à l'université par exemple, ont organisé des sortes de veillées de deuil pour lui rendre hommage.

— Tu y es allée ?

— Non. J'aurais voulu, mais personne ne m'avait invitée. Je me sentais gênée. Mais tu sais ce que c'est quand on est jeune : je voulais faire ma part. J'apprenais qu'il y avait eu quelqu'un de supposément bien et qu'il était mort, pour la justice sans doute. Ça me touchait. Mais je ne voulais pas qu'on le sache.

— Tu as fait quelque chose ?

— Oui, et ça a été le premier pas qui m'a menée à devenir bonne âme.

— Ah ?

— Ma mère m'avait donné une chandelle en cire d'abeille. J'avais vu dans le journal que les étudiants faisaient brûler des chandelles dans leurs veillées. Alors j'ai allumé ma chandelle, seule dans ma chambre. Je l'ai posée sur ma chaise en bois, dont le siège était bien plat, je l'ai allumée et je me suis assise par terre à la regarder. La chandelle seule éclairait la pièce. J'espérais que personne ne me remarquerait, et personne ne m'a remarquée. Je pensais à celui qui venait de mourir et à tous les autres morts. Plus tard j'ai appris que ce président tué n'avait peut-être pas été si bon que ça.

— C'est toujours comme ça. On nous demande d'être ému, et ensuite on nous dit que ça ne valait pas la peine.

— Exactement. Mais là, ça valait la peine, tout simplement parce que c'était pour moi la première fois.

— Je n'ai jamais eu de première fois comme ça.

— Ma vocation était en train de s'éveiller. Toi, tu as une autre vocation.

— Vaste ?

— Un détail, je pense.

— Autre chose alors, peut-être ? On verra. Je n'ai jamais cru avoir de vocation.

— Tu n'as jamais cru que tu aurais des amants, un joli corps, etc., sans compter ta négociation gagnée avec les juges du crépuscule.

— Tu crois qu'une vocation, ça arrive ?

— Pour moi, c'est arrivé. Simplement parce que j'avais allumé la chandelle pour les morts et que j'étais restée assise un moment. J'ai fait ça une couple de fois. Puis les semaines ont passé, j'ai presque oublié que j'avais fait ça, c'était juste un petit souvenir secret. Mais un jour, j'ai fait un rêve.

— Ta vocation t'est arrivée en rêve ?

— Peut-être. Le rêve était un véritable cauchemar. J'ai rêvé que je me réveillais dans mon lit, que j'allumais la lumière parce qu'il faisait nuit et que tout le reste était noir alentour. Mais la lumière s'éteignait, et quand j'essayais de la rallumer, je me rendais compte que mon bras était engourdi et que je ne pouvais plus atteindre le commutateur. Je me retrouvais donc complètement dans le noir. Comme mes yeux s'habituaient à l'obscurité, je commençais à voir des espèces de fantômes, avec des tentacules, qui s'approchaient de moi, lentement. Ils étaient aussi grands que moi, translucides, et je savais que je ne pourrais pas leur résister. Alors je me suis réveillée, effrayée.

— Toute une vocation !

— Attends. Bon, le temps a passé, je n'ai pas accordé d'importance à ce mauvais rêve. Mais, quelques semaines plus tard, je l'ai fait de nouveau. Ça, c'était étonnant. Jamais de ma vie je n'avais rêvé deux fois à la même chose. Quand je me suis réveillée, j'ai réfléchi. J'avais lu des choses sur les fantômes, et aussi j'ai des ancêtres écossais, donc d'un pays où on croit aux fantômes. Je me suis dit que, s'ils m'apparaissaient deux fois, ces esprits-là, c'est qu'ils avaient peut-être quelque chose à me dire. Alors j'ai allumé la chandelle un autre soir.

— Pourquoi ?

— Pour leur offrir quelque chose et leur indiquer ma présence. J'avais lu ça dans un livre de contes. J'ai allumé la chandelle et j'ai pensé à eux. Je les ai imaginés devant moi. Je leur ai demandé pourquoi ils venaient me voir. Ce qu'ils m'ont répondu était très étonnant.

— Ils t'ont dit quoi ?

— Qu'ils venaient me voir parce qu'ils en avaient l'habitude. Je leur ai répondu qu'il y avait erreur sur la personne, que vraiment je ne les avais jamais vus. Mais ma réaction ne leur faisait aucun effet. Ils maintenaient qu'ils avaient coutume de venir me voir pour que je les aide, qu'ils me connaissaient comme une personne vraiment capable de les aider, une sorte de garde-malade ou de thérapeute pour spectres. Finalement je leur ai dit : « Vous avez peut-être accès à des connaissances que j'ai oubliées. Je n'ai pas envie de vous abandonner. Pour le moment, en tout cas, je n'ai aucune idée de la façon dont je pourrais vous être utile. Alors je vais vous faire une promesse.»

— Qu'est-ce que tu leur as promis ?

— Que si, un jour, je découvrais comment leur venir en aide, je mettrais le temps qu'il faut à étudier tout ça et je serais à leur service.

— Il s'est passé autre chose ?

— Non. Ils ne sont plus revenus. Ils étaient contents. Des années et des années ont passé. J'ai vécu ma vie. J'ai appris toutes sortes de choses. Mais rien sur la façon d'aider les fantômes qui souffrent.

— C'est pourtant ce que tu fais ici.

— Oui. Finalement j'ai découvert comment faire, et j'ai tenu ma promesse. J'en suis contente. C'est vraiment ma place.

— Est-ce que tu vas encore sur terre des fois, Roxanne ?

— Oui, bien sûr. J'aime manger un souvlaki de temps en temps, et puis j'ai de vieux amis à voir.

— Ils savent que tu vis en enfer ?

— En général, non. Je suis vague. Comme bien des gens de ce quartier, je suis à la fois morte et vivante.

— Dans quel sens ?

— Eh bien, je peux me promener sur terre et en enfer.

— N'y a-t-il pas aussi un autre sens ?

— Que veux-tu dire, Lame ?

— Eh bien, moi aussi, je me suis déjà sentie à la fois morte et vivante, quand j'étais dans les enfers mous. Mes émotions étaient comme figées. Mon corps pouvait bouger tant bien que mal, mais mon état d'esprit demeurait en quelque sorte paralysé. En général, j'étais constamment pleine de désir sensuel.

— Ce devait être horrible.

— Mais oui. Un enfer, c'est un enfer. Les gens des enfers mous, tu pourrais leur rendre visite.

— Ceux des enfers mous, ceux des enfers durs, tous ceux des enfers ! Il y a du travail pour des milliers, des millions de bonnes âmes, ici ! Et nous sommes une douzaine, pas plus. Nous nous occupons des damnés ambulants, de ceux qui ne sont pas enfermés et qui peuvent venir jusqu'à nous. Nous nous occupons de ceux qui ont une bouche pour parler ou des doigts pour écrire, de ceux qui ont confiance en nous. Le damné moyen, tu l'as vu avec Vaste, est tellement pris dans son horreur intérieure que nous pouvons à peine attirer son attention. Ceux qui bénéficient le mieux de nos soins sont des cas légers, très légers.

— Qu'arrive-t-il aux autres ?

— Quand leur sentence est écoulée, ils meurent et renaissent ailleurs, en un lieu moins horrible, espérons-le. On pourrait faire plus. On fait ce qu'on peut.

— Vous mettez de l'onguent sur les plaies de ceux qui, parmi les damnés, ne sont qu'égratignés.

— Rien de plus. Mais ça les soulage assez pour qu'ils viennent nous chercher, encore et encore, à chaque naissance. La plupart des bonnes âmes sont comme moi, ayant passé la moitié de leur vie en humains ordinaires et devenant petit à petit des guérisseurs itinérants, qui se promènent d'un monde à l'autre.

— Avez-vous des passions ?

— Moins qu'avant. Beaucoup moins qu'avant. Nous aimons trop le voyage.

Une hypothèse curieuse et hardie surgit dans l'esprit de Lame.

— Se pourrait-il que ce soit là une des raisons pour lesquelles vous ne pouvez guérir que des cas légers ?

— Comment ?

— Eh bien, c'est simple : de braves petits boy-scouts infernaux sont trop sains d'esprit pour affronter les épouvantables brasiers de la haine et du désir.

— Tandis que quelqu'un comme toi…

— Oui.

— Pourquoi pas ? Mais si tu veux te promener tout le temps dans les horreurs, il faudra que tu apprennes au moins à ne pas pleurer.

— En tout cas, je ne serai pas une morte vivante, Roxanne.

Roxanne s'inclina. Lame poursuivit son intuition :

— Mais ce que je viens de dire ne reflète pas vraiment la situation. Certainement, vous avez le même potentiel que moi, par exemple. Sinon nous ne nous retrouverions pas tous ici. Se pourrait-il que ce potentiel de passion ait été tempéré par votre entraînement ?

— Peut-être. C'est si confortable d'être attiré par moins de choses, moins de gens, et d'avoir moins de haine aussi.

— Bon, maintenant que vous savez retrouver ce confort, ne pourriez-vous pas apprécier de vous en passer de temps en temps ?

— Comme en camping ? Sans doute.

— Alors la voie des grands damnés vous est ouverte.

— J'en parlerai à mes collègues.

— En temps et lieu. As-tu déjà aimé, Roxanne ?

— Tu parles !

— Tu me racontes ?

— Pas maintenant. Pas ici.

Les années passèrent, même s'il n'y avait pas de lune ni de saisons. Le prince Rel se dépravait et le roi son père devenait de plus en plus fou, si possible. Les rumeurs de fin de règne emplissaient l'atmosphère. Le kiosque de la bonne âme Roxanne était même fréquenté par des hères, des sbires ou de véritables gardes. Tout le monde paniquait et jubilait vaguement. Lame, par contre, prenait régulièrement le chemin des tapis roulants pour aller rendre visite à Vaste. De plus en plus splendide et jeune d'apparence, selon l'étrange alchimie de son infernal destin, elle avait appris à jouer de la lyre et chantait au cœur des flammes en s'accompagnant du bel instrument. Les accords mélodieux compensaient pour sa voix souvent brisée par les larmes.

Semblable à Roxanne qui jadis avait offert une chandelle aux morts, en se laissant entraîner à les trouver tous justes et tous à plaindre, Lame ne cherchait plus à atteindre seulement celui qui l'avait libérée en lui offrant un nouveau corps. Elle offrait sa musique à tous. Mais Vaste était de tous les concerts. Elle hésitait à le faire harponner, pour ne pas lui causer de nouvelles blessures, et préférait garder ses distances, se fiant à son étonnante certitude d'être entendue.

Elle sillonnait les enfers chauds en jouant sa musique, emplie de fureur, de tristesse et de sérénité. Sa robe était trouée par les escarbilles et le vernis de la lyre en était tacheté. Chaste et brûlante, elle était pénétrée de l'énergie du désespoir. Plus rien à perdre dans ces pérégrinations vers nulle part. Les murailles de flammes par les brèches desquelles elle pénétrait dans des régions où l'horreur était de plus en plus profonde lui semblaient protéger sa douleur et son désir d'être entendue comme une haie d'ormes centenaires apaise le voyageur.

Parfois des cris se calmaient à sa venue, parfois des brasiers tourbillonnants ralentissaient un peu. Comme elle était pleinement enracinée dans les enfers, la matière et les êtres qui l'environnaient semblaient réagir mystérieusement à sa présence. Elle était de même nature que les bourreaux et les damnés, cependant elle était lucide, belle, sans rien à expier. Ses actes étaient donc en accord avec les lois qui régissaient ce monde de roche et de flamme, et y trouvaient une scandaleuse résonance.

C'était sans doute un signe des temps : sa présence et les flots de sa musique ébranlaient presque trop les antiques structures de haine et de sadisme. Par quoi seraient-elles remplacées, si jamais elles s'écroulaient ? Où était la relève ? Le prince Rel perdait son temps et, de toute façon, l'enfer était l'enfer, un lieu fait pour souffrir, il en fallait bien un quelque part, un dépotoir suprême où aboutissaient tous les rebuts pour être torturés comme ils le méritaient. Cela, Lame, fille des enfers, y croyait sans y croire. Elle s'opposait à des forces gigantesques avec une seule petite lyre et une volonté de fer. Elle ne s'attendait pas à grand-chose.

Les enfers mous, les enfers froids, elle ne s'y rendait pas: trop loin. Les villes non plus: ce n'était pas si nécessaire. Pour le moment, elle concentrait ses efforts sur les enfers chauds, au cœur desquels tourbillonnait son ancien amant, le premier qu'elle eût jamais aimé. Elle se souvenait à peine de son visage. Elle se rappelait qu'il n'était pas très aimable. En d'autres circonstances, elle se serait peut-être complu à lui rendre la monnaie de sa pièce. Maintenant, il n'en était pas question. Il était en train d'être châtié, il ne s'en relèverait sans doute jamais. C'était exagéré. Si elle parvenait à le réveiller de sa douleur, peut-être pourraient-ils partir ensemble. Un tel projet était extrêmement vague, mais indiquait pour son intuition la piste de la liberté.

Des années entières passèrent ainsi. Le temps ne semblait pas long à Lame, ni mal utilisé. Elle aidait Roxanne dans son travail, sans cesse varié et utile; de temps en temps elle partait jouer de la lyre dans les enfers chauds. Parfois elle voyait Roxanne partir pour la terre: elle mettait à ses épaules d'immenses ailes d'oiseau noir et s'envolait vers la voûte, soudain légère, aérienne. Pendant son absence, Lame arrosait les plantes et, graduellement, Roxanne lui apprit comment soulager le mieux possible la peine des êtres qui venaient la trouver; Lame se présentait à eux comme une apprentie bonne âme, qui remplaçait Roxanne pendant ses absences.

Au bout de quelques jours, Roxanne revenait, descendant gracieusement du ciel, parfois chargée de paquets. Elle pliait et rangeait soigneusement ses ailes dans des sacs à ordures en plastique, de la variété orange où on met les feuilles mortes. Puis elle défaisait ses bagages, et il y avait toujours un cadeau pour Lame: un sachet de poudre de chocolat, une cordelette de protection d'un maître bouddhiste, un livre usagé, etc. Une fois qu'elle revenait ainsi de voyage, assise sur son lit elle demanda à Lame:

— Tu veux toujours entendre parler de mes passions?

— Certainement.

Elles firent du thé du Yunnan et ouvrirent une boîte de sablés écossais.

Assise chacune sur son lit, elles prirent quelques gorgées et mangèrent un peu avant que Roxanne n'entame son récit.

— Je vais te conter ma première passion. Je ne sais pas si je te parlerai des autres.

— Bien.

Roxanne réfléchit quelques instants, puis commença:

— Comme je te l'ai dit, je vivais dans un quartier riche. On pouvait donc y être très solitaire. Il y avait beaucoup d'espace entre les maisons, des pelouses, des haies. À part mes parents, je ne parlais à personne dans la rue. Dans ce quartier-là, la plupart des gens parlaient anglais. Dans ma famille, on parlait français. J'allais à une école française, assez loin de là. Il y avait bien quelques enfants de mon âge dans ma rue. À l'époque ils ne s'étaient pas encore mis à m'insulter. Nous nous contentions de ne pas nous parler, puisque nous ne nous comprenions pas.

— Plus tard ils t'ont insultée ?

— Oui, mais pas pour longtemps. J'étais une jeune adulte ; j'ai quitté la maison de mes parents. Plus jamais je n'ai dû supporter de gens qui m'insultaient.

— Qu'est-ce qu'ils te disaient ?

— Je ne sais pas ; je ne comprenais pas. Mais le ton était clair. Tu sais quoi faire avec des gens qui t'insultent ?

— Non.

— Ou bien tu les fuis, ou bien tu leur fais croire que tu vaux mieux qu'eux, pour qu'ils aient honte.

— Et si ça ne marche pas ?

— Tu attends qu'ils cessent. Tout est impermanent.

— En tant que bonne âme, tu dois connaître de meilleurs trucs que ceux-là. Tu sais, de beaux machins : de la conciliation, de la médiation.

— Certainement. Mais je parle de ma jeunesse. Si tu penses que papa ou maman avaient envie de sortir dans la rue pour prendre ma défense, avec leur anglais cassé, non. Ils avaient d'autres chats à fouetter, et puis, eux, on ne les insultait pas, ce n'était pas leur problème. C'est dans ce milieu vaguement hostile, mais surtout très solitaire, que s'est déroulée mon adolescence. Par contre, c'est vrai, j'entendais beaucoup parler d'amour.

— Par qui ?

— Ma mère avait une vision romantique et grandiose de l'amour, c'était beau de l'entendre parler, ça donnait accès à quelque chose de plus grand que soi, comme si la sexualité donnait accès à une dimension plus généreuse de l'être. Et puis, bien sûr, il y avait la radio, que j'écoutais en faisant mes devoirs, et où les chansons en anglais parlaient tout le temps d'amour.

— Mais tu ne comprenais pas l'anglais.

— Pour ça, j'en comprenais assez. Ces chansons-là me parlaient d'un monde autre, complètement inaccessible, où des garçons et des filles se rencontraient l'été, se prenaient la main, s'embrassaient, peut-être sur une plage, et il y avait des histoires de rivalités, de jalousie, de cœurs brisés. Des fois, ils avaient des voitures, aussi.

— En quoi ce monde-là t'était-il complètement inaccessible ?

— Aucune de mes amies ne savait conduire, ça ne se faisait pas. J'allais à une école pour filles. Il n'y avait pas de garçon dans mon environnement. J'ignorais totalement comment m'y prendre pour en rencontrer. En plus, j'avais entendu dire que c'était toujours le garçon qui prenait l'initiative. Rien à faire !

— Est-ce que tu te masturbais ?

— Oh non ! Je n'avais pas de goût pour ce genre d'activité, pas plus que maintenant, d'ailleurs.

— Alors tu étais chaste ?

— On peut dire, oui. Nous avions un chat, et je me souviens de l'avoir caressé une fois en ressentant une drôle de sensation, très fortement sexuelle. Je n'avais pas aimé ça, je me sentais embarrassée. Ou bien des fois je dansais, parce que j'aimais beaucoup certaines chansons de l'époque, je dansais toute seule quand personne ne pouvait s'en rendre compte et je sentais mon corps exprimant toute sa force, toute sa beauté. Mais il n'y avait personne pour voir. Peut-être qu'il n'y aurait jamais personne devant qui je pourrais m'ouvrir vraiment.

— Aimais-tu ton corps ?

— En général, non. Je n'aimais pas sa forme. Je n'aimais pas les vêtements que je portais. J'aurais voulu avoir l'air comme toi, Lame, si svelte et épanouie. J'étais un peu ronde, avec quelques boutons. Rien de vraiment affreux, mais j'avais l'impression d'être profondément étrangère, non seulement à l'environnement où je vivais mais aussi à mon corps, qui ne correspondait pas à ce que je ressentais en dedans. Parfois je me mettais en rage – quand je suis vraiment en colère, ce n'est pas drôle –, en rage contre mon corps. Je prenais des ceintures pour me serrer trop la taille, ou les cuisses. Mais, bon, ça arrivait rarement. Je ne voulais pas attirer l'attention.

— Tu n'aimes pas attirer l'attention.

— Je suis née discrète. La clé de la liberté est souvent dans la discrétion, en ce qui me concerne. Si je ne savais pas être discrète, quand j'arrive sur terre avec mes ailes, tu parles ! Dès cette époque, je comprenais comment il fallait se comporter pour ne pas s'attirer d'ennuis, tout en conservant une liberté intérieure, celle de penser ce que je voulais, qui était la seule liberté possible pour moi ces années-là.

— Avais-tu des fantasmes érotiques ?

— Pas vraiment. Je n'étais pas à ce stade-là, c'est venu plus tard. Peut-être que j'en avais un tout petit peu. Mais ce dont je rêvais surtout, c'était de quelqu'un qui me prendrait dans ses bras ou que je pourrais serrer dans mes bras.

— Est-ce que des gens te touchaient ?

— Au début de mon adolescence, oui, encore. J'embrassais mes parents, je caressais le chat. Mais quand j'avais quatorze ans, tout a fini.

— Comment ?

— On a donné le chat, parce que ma mère y était allergique, et je suis devenue plus grande. Alors pendant cinq ans, il m'est arrivé de ne toucher à un autre être humain ou à un animal qu'une fois ou deux par année, au plus.

— Ce devait être l'enfer.

— Un peu comme les enfers mous pour toi, oui, peut-être. Un monde horrible où on ne peut rien changer, et on ne sait pas quand ça va cesser.

— Quelle était alors ta relation à ton corps ?

— Des fois il me mettait en colère, des fois il me donnait du plaisir, comme je te l'ai dit. La plupart du temps, je n'y pensais pas beaucoup, parce que c'était tout de même un très bon corps, avec une bonne santé, qui me procurait assez rarement des sensations désagréables. Il m'en procurait tous les mois, bien sûr, mais ça, c'était autre chose.

— Tes menstruations étaient douloureuses ?

— Tu parles, oui ! Quand plus tard j'ai eu des enfants, les douleurs de l'accouchement n'étaient rien en comparaison des crampes que j'avais eues dans ma jeunesse.

— En es-tu sûre ?

— Oh oui ! D'abord, c'est vrai, quand on donne naissance, le climat est tellement merveilleux que ça fait passer bien des choses. Tandis que des crampes de menstruation, ça n'émeut personne. Ça commençait tout d'un coup, et au bout de quelques minutes je devais me coucher, je n'aurais tout simplement pas tenu debout. J'en avais pour un jour ou deux dans cet état, tous les mois. Quand j'étais couchée – dans un parc, une fois –, la douleur devenait tellement intense qu'il fallait que je cesse de penser pour qu'elle soit supportable.

— Que tu cesses de penser ?

— Tu n'as jamais fait ça quand tu avais vraiment mal ? Tu ne penses qu'à la douleur, et c'est comme si tu cessais de penser. Le reste du monde n'a plus d'importance, la douleur emplit tout, et on peut se détendre en elle. J'ai découvert ça avec mes crampes.

— Personne ne s'occupait de toi ?

— On ne peut pas dire ça. Ma mère m'a emmenée voir un médecin – je me souviens que je n'avais pas aimé me déshabiller devant lui, mais, bon, c'est la vie – et il m'avait donné des pilules, mais sans m'expliquer le truc.

— Quel truc ?

— Eh bien, je pensais que je devais prendre les comprimés quand j'aurais mal et qu'à ce moment-là les crampes s'en iraient. Tu parles ! J'aurais vidé la bouteille et ça n'aurait rien changé ! Non, il fallait se précipiter sur les pilules dès que le sang se mettait à goutter, et rester gelée pendant deux jours. Avec ça, je demeurais fonctionnelle.

— Avais-tu l'impression que ton corps te jouait un mauvais tour de te faire aussi mal si souvent ?

— Ça, pas du tout. Ça me donnait plus l'impression de me rapprocher de celle que j'étais vraiment. Ma vie était tellement ennuyeuse, sans espoir. Là, au moins, il se passait quelque chose, il y avait un défi à relever. Je me sentais déjà toute meurtrie en dedans, toute abandonnée. Un corps douloureux, même laid, était davantage en accord avec ce sentiment-là qu'un corps resplendissant de santé, tel qu'il l'était tout le reste du mois.

— Mais tu n'étais pas vraiment désespérée.

— Non, en effet. Par vie sans espoir, je veux uniquement dire que j'étais dans une situation où je me sentais totalement inutile, et en terre étrangère. Ça me semblait sans issue. Je n'avais aucun contrôle là-dessus. Je ne savais même pas si j'avais le droit d'en parler.

— On ne vous invitait pas à vous exprimer, dans votre coin ?

— Pas vraiment. On faisait des rédactions sur des thèmes donnés, qui évitaient ce qui peut être embarrassant. À la maison, ma mère aimait que je lui parle de ce que je vivais, de mes émotions, mais je n'aimais plus ça.

— Pourquoi ?

— J'avais l'impression qu'elle pouvait utiliser ce que je lui disais pour vivre par procuration. Si je lui avais décrit trop bien mon désarroi intérieur, ça l'aurait confirmée dans son calme extérieur. Elle serait restée prisonnière de son rôle de maman, et moi prise à mon jeu d'adolescente qui se confiait : quelle horreur ! Alors je lui parlais de plus en plus de manière vague, comme aux autres.

— Tu n'avais pas d'amies de ton âge ?

— Oui, j'en avais. C'est là qu'on commence à toucher le sujet de la passion.

— Tu veux dire que tu étais lesbienne ?

— Non. Je veux dire qu'il n'y avait pas d'homme dans le monde où j'étais, sauf mon père, et je ne suis pas en train de te raconter une histoire d'inceste. Mon père, je l'aimais beaucoup, et c'était un bon père. Donc, dans ce milieu bien raisonnable, il n'y avait strictement aucun mâle qui me fût sexuellement accessible. C'est pour ça que les chansons d'amour à la radio, ou les films, avaient l'air de parler d'une autre planète. Mes parents y avaient accès, parce qu'ils faisaient l'amour et qu'ils avaient eu des amoureux assez jeunes. J'en étais exclue, parce qu'il n'y avait personne pour moi, même plus un chat à caresser.

— Est-ce que ça te rendait malheureuse ?

— Sans doute. Si j'apercevais dans la rue un couple qui se tenait par la main, ou par la taille, j'en étais tellement triste ! Si je faisais un trajet en autobus, de l'école à la maison par exemple, sans voir de gens qui se touchaient, qui se donnaient des marques d'affection, j'en étais soulagée, c'était moins stressant. J'avais l'impression qu'il n'y avait personne d'aussi seul que moi, que tout le monde avait quelqu'un d'autre sauf moi. Peut-être que je resterais comme ça jusqu'à ma mort, puisque aucun garçon ne me regardait et que je n'avais pas le droit de les approcher de moi-même – le garçon fait toujours le premier pas, n'est-ce pas. De toute façon, je n'aurais pas su comment faire. Mais je me sentais libre dans ma solitude : je n'avais pas envie non plus de devenir quelqu'un de différent pour plaire à Machin ou à Chose. On aime une vraie personne, pas quelqu'un qui se déguise.

— Et les hommes adultes ?

— Là, c'était un peu différent, moins oppressant. Quand des amis de mes parents, ou des oncles, me regardaient, j'avais l'impression qu'ils aimaient ce qu'ils voyaient. Rétrospectivement, je me dis que j'avais peut-être une beauté à l'ancienne mode, un peu rondelette avec le teint rose. Ils n'avaient pas l'air de me trouver laide, stupide, ou de faire comme si je n'étais pas là. Avec eux, je ne me sentais pas comme une lépreuse ou une martienne. Mais ils ne me touchaient pas, bien sûr, ça n'aurait pas été correct. Une fois, je me souviens, un ami d'une de mes tantes a dansé avec moi, c'était au bord d'un lac, à la campagne. C'était tellement bon d'être dans ses bras ! Toutes les autres personnes me semblaient idiotes mais lui était devenu, d'un coup, captivant. Ça avait été merveilleux, dans ses bras, de sentir son bon corps d'adulte, son savoir-faire dans les mouvements, d'avoir une intuition de son expérience de la vie à la seule manière dont il me touchait. J'aurais voulu qu'il se rapproche plus mais, évidemment, ça ne se faisait pas. J'étais en visite chez ma tante, ce n'était pas pour que je me fasse embrasser par un ami de la famille. Tout le monde veillait sur moi, hélas ! et lui aussi.

— Est-ce que tu te sentais folle ?

— Non, pas du tout. J'avais une guerre d'usure à gagner contre le temps. Je n'avais pas de pays, pas d'appartenance intérieure. Je n'avais que des enthousiasmes brusques. Je n'ai toujours pas de pays, tu sais, Lame, je me sens toujours étrangère, sur terre comme ici. Mais je suis devenue une étrangère utile, du moins à mes propres yeux.

— Grâce à une chandelle.

— Entre autres. Grâce aux gens que j'ai rencontrés, aussi, et au hasard qui fait bien les choses. Quand je pense qu'il y a des gens qui croient avoir un pays ! Quand je pense qu'il y a des gens qui croient en Dieu ! Tant mieux pour eux, si ça leur rend la vie plus confortable, grand bien leur fasse !

— Tu ne croyais pas en Dieu ?

— J'y croyais, si. Tout le monde y croyait, tout autour, alors moi aussi. On est discrète ou on ne l'est pas. Dieu, pour moi, c'était une émotion, une sensation, mais pas un bataclan de dogmes ou de livres sacrés. Je regardais cette émotion, et ce n'est pas elle qui me faisait trouver un amoureux. Elle me permettait d'accepter mon sort, mais j'aurais préféré qu'il change.

— Tu t'emmerdais ?

— Profondément, oui. Il y avait l'été, les vacances scolaires pendant lesquelles je n'avais presque rien à faire. Puis en automne l'école recommençait, et tout le temps y passait, cours, devoirs, étude, presque sans trêve jusqu'à l'été suivant.

— Avaistu une bicyclette ?

— Oui, ça, c'était amusant. Une jolie bicyclette verte. J'allais faire des commissions ou bien j'allais à la messe, tôt le dimanche matin. Je découvrais toutes sortes de livres et de revues, en vente dans les pharmacies ou les magasins où je pouvais me rendre grâce à ma bicyclette. Une de mes amies de l'école savait l'anglais et avait réussi à me convaincre que les livres écrits en anglais étaient vraiment intéressants. Je déchiffrais des textes avec le dictionnaire qui avait appartenu à mon grand-père, et dont le papier et la colle étaient très friables. Il y avait toujours des petits morceaux de colle ou de papier qui restaient sur la table où on l'avait consulté.

— Tes parents ne t'achetaient pas un nouveau dictionnaire, si tu vivais dans un quartier riche ?

— Ils l'auraient fait si je leur avais demandé. Mais ils avaient du mal à payer l'hypothèque de la maison. Et puis, ce dictionnaire-là pouvait encore servir, il avait son charme.

— Pourquoi les livres anglais étaient-ils plus intéressants ?

— Ils souriaient plus ! Ils présentaient une vision plus positive du monde. Ils parlaient de gens qui font quelque chose avec leur vie, qui ont de l'imagination, qui peuvent se sentir tout bizarres mais qui n'en ont pas honte. Ils ne rabâchaient rien au sujet de Dieu ou du Pays. Par-dessus le marché, les auteurs de ces livres-là, on avait le droit de leur écrire, et parfois ils répondaient ! Il y avait un autre monde encore, invisible, loin au-delà de l'horizon, où des gens avaient foi dans la vie. Je n'avais pas besoin d'en savoir plus. Peut-être que je ne réussirais jamais à les rejoindre, ou peut-être qu'ils ne présentaient qu'une façade. Mais elle était joliment réussie !

— Avais-tu vraiment envie de les rejoindre ?

— Non. Dans ma situation, je n'inquiétais personne. Je n'attirais pas l'attention. Je n'avais pas de pays, mais j'étais chez moi. Ailleurs, j'aurais dû m'habituer à autre chose, j'aurais couru le risque de devenir quelqu'un qui ne cadre pas, une cible. J'aurais pris ce risque si j'avais été sûre que l'enjeu en valait la peine. Mais ce n'était pas le cas. Il n'y avait rien en jeu, je n'avais pas de vocation autre que celle des chandelles, d'autre but que celui de trouver un homme qui m'aimerait et d'avoir des enfants. Essayer d'aller vivre dans une autre langue, dans un autre pays, ne me rapprocherait nullement de la réalisation de ces buts.

— Avais-tu l'impression d'être en cage ?

— En prison, plutôt. Mais la liberté sera-t-elle jamais autre qu'intérieure ?

— Tu étais révoltée ?

— J'étais parfaitement capable de haïr. Discrètement, comme le reste. Le monde de l'école était très sévère. Cette sévérité m'indignait tout en me donnant de l'énergie. J'étais à l'aise dans cette structure compétitive où l'on nous en demandait toujours plus. Je préférais ne pas m'attarder à voir à quel point toutes ces connaissances qu'on nous inculquait s'avéreraient inutiles : de cela j'étais intimement convaincue, mais je me laissais aller à jouer le jeu qu'on m'obligeait à jouer.

— C'était immoral de ta part.

— En effet. La moralité n'a jamais été mon fort. C'était plus simple de briller dans le système.

— Tu as dû détester le savoir, tôt ou tard.

— Oui. Puisqu'il y avait coercition, je méprisais tout ce que j'apprenais. Je l'avais appris comme une souris apprend à se débrouiller dans un labyrinthe si elle ne veut pas recevoir de choc électrique. Je me demande si les souris prennent le temps de mépriser les chercheurs. Elles le devraient. Puisque mes professeurs utilisaient ces stratégies innommables, le savoir qu'ils m'inculquaient était simplement bon pour la poubelle.

— Tu recherchais la sagesse ?

— Oui. Trouver la sagesse, apprendre à enlever leur douleur aux fantômes, trouver un homme que j'aimerais et qui m'aimerait : trois tâches essentielles, et j'ignorais totalement comment les accomplir. Ce dont je me doutais, c'est que les personnes-ressources auprès des jeunes ne me seraient d'aucun secours. Faire appel à elles pour m'aider à réaliser mon destin aurait été suicidaire.

— Le reste de la société t'importait peu.

— Je ne comprenais pas vraiment ce qu'on voulait dire par ce terme de société. Quand on parle de société, on parle de gens qui se serrent les coudes, on parle d'idéal commun, de projets auxquels tous coopèrent pour un résultat qui en vaut la peine. Ça, j'ai pu le connaître plus tard, heureusement. Mais, adolescente, je n'avais aucun accès à ces beautés-là. Je vivais isolée dans un monde rigide, personne ne l'avait vraiment voulu ainsi, mais c'était comme ça. Mes parents avaient leurs amis et leur travail, qu'ils avaient choisis. Je n'avais rien de tel. Je les avais, eux, je ne les avais pas choisis. Ils étaient bien, mais je ne les avais pas choisis. Le monde où j'évoluais ne m'offrait presque pas de choix. Je ne pouvais même pas choisir la nourriture que je mangeais, ma mère faisait la cuisine et décidait du menu. Je trouvais ça horrible.

— Ça goûtait mauvais ?

— Non, mais il fallait que je mange son choix, à son heure. Encore maintenant, ça me hérisse.

— C'était pourtant la coutume ?

— Oui, comme d'avoir un pays et un dieu. La plupart des gens s'en réjouissent. Moi pas. Tu comprends, ainsi elle avait trop de pouvoir, elle n'avait pas besoin de ça.

— Tu aurais voulu faire la cuisine ?

— J'aurais voulu manger discrètement, être responsable de ma propre nourriture, comme je le fais maintenant, d'ailleurs, et depuis longtemps. Je ne me lasse pas de ce plaisir-là.

— Il donne beaucoup de liberté.

— Justement. À cette époque très dure, la liberté m'était comptée.

— Ta révolte était-elle visible ?

— Non. Je ne voulais me mettre personne à dos. J'attendais mon heure.

— Quand est-elle arrivée ?

— Après l'adolescence. Tard. Mais pas trop tard.

— Et la passion ?

— Nous en parlerons une autre fois.

Toucher l'horreur

Quelque temps après cet échange, Lame retourna sur le champ de bataille des enfers chauds, où des diables griffus tourmentent sans fin de pauvres êtres dont le corps ne sert à rien d'autre qu'à souffrir. Elle avait accordé sa lyre roussie, assise sur le tapis roulant qui lui faisait traverser les banlieues fumantes de la capitale des enfers, quand elle remarqua qu'elle était suivie. Pas très loin derrière, une dizaine de gardes infernaux, de taille gigantesque, effectuaient les mêmes changements de voie qu'elle. Le groupe la suivit dans le dédale huileux des petits chemins, roulants ou non, qui l'amenaient auprès de Vaste. Elle ne s'en formalisa pas, puisqu'elle n'avait jamais eu maille à partir avec ces créatures.

Elle s'installa – les multiples taches de sa jupe ample et raidie lui paraissant autant de témoignages qu'elle avait surmonté la barbarie des lieux – et, identifiant bien la saucisse plus pâle qui avait été son amant, entonna la *Complainte du mandrin*, qu'un client de la bonne âme lui avait récemment apprise. Elle aimait surtout la fin : « Du haut de la potence, je regardai la France ; j'y vis mes compagnons à l'ombre d'un buisson. Compagnons de misère, allez dire à ma mère qu'elle ne me reverra plus... » L'auteur de ces paroles avait dû connaître, comme elle, ces états d'esprit mystérieux où tout apparaît d'un coup parce qu'il n'y a plus d'espoir. Mais elle ne se rendit pas jusque-là : ce groupe d'imbéciles qui la suivaient l'encercla sur le minuscule îlot, et l'un d'eux, placé derrière elle, se penchant, plaqua une énorme main sur les cordes de son instrument.

Elle poussa un affreux juron et se leva.

On lui empoigna les bras ; elle entendit un ricanement ; levant la tête, elle reconnut, devant elle, le roi des enfers.

On la relâcha, et elle fit une révérence.

Les gardes se retirèrent. L'antique et gigantesque roi dément et la belle jeune femme sans âge demeurèrent face à face.

— Avant de devenir roi, j'étais harponneur, expliqua-t-il.

— Vous aimez vous rappeler votre jeunesse ? demanda Lame, qui avait pris l'habitude de poser ce genre de question.

— De temps en temps. Mais on n'entendait pas brailler dans les enfers chauds à cette époque.

— Les temps changent, commenta Lame, ne sachant trop à quoi il faisait allusion.

D'un coup du revers de la main, il fit tomber la lyre. Elle ne broncha pas, à la fois paralysée par la peur et décidée à tenir tête.

— Je pourrais vous empaler avec mon pénis, menaça-t-il.

Elle n'en doutait pas.

Il resta à la dévisager, rougeoyant comme s'il était lui-même fait de braises. Elle voyait son érection grossir à vue d'œil et se sentait comme hypnotisée par sa puissance et son désir, qui, étrangement, n'avaient rien de malveillant ni de pervers, mais étaient énormes, monumentaux, incontrôlables. Elle eut envie de danser avec lui et étendit le bras pour lui toucher l'épaule.

Encore plus étrangement, sa peau était glacée, et il recula comme si elle le brûlait. Elle utilisa alors la fin de son geste pour lui faire bien voir sa main marquée du sceau des juges.

— Je sais, commenta-t-il. Mais vous polluez l'atmosphère quand même.

— Vous avez quelque chose à me proposer ?

— Je vais gracier l'imbécile qui est la cause de votre vacarme.

— Vous en avez le pouvoir ?

Il haussa les épaules et tendit vers elle son avant-bras, marqué d'une bonne douzaine de sceaux, tous plus splendides les uns que les autres. Puis il fit volte-face et, saisissant le harpon accroché à son dos, d'un geste incroyablement sûr et gracieux, happa Vaste qui passait justement là, le hissa hors des flammes et le décrocha d'un coup sec pour qu'il s'abatte aux pieds de celle qui l'aimait.

— Il me semble plus léger que l'autre fois, remarqua Lame.

— Plus cuit, sans doute.

Elle se pencha, le toucha du bout des doigts. Il était chaud comme un pain qui sort du four.

— Qu'est-ce qu'on fait ensuite ? demanda-t-elle.

— Il a purgé sa peine. Vous vous débrouillez avec. Plus de vacarme, par exemple.

D'un coup de pied, il expédia la lyre dans les flammes. Tournant les talons, il quitta les lieux, accompagné de sa garde.

Lame dut attendre une bonne heure que Vaste refroidisse assez pour qu'elle puisse le prendre dans ses bras. Elle aurait bien voulu continuer à chanter sa complainte, mais elle n'osait pas, après ce qui venait de se passer.

Quand il fut tiède, elle enleva les écailles de ses yeux, mais il ne les ouvrit pas. Il avait l'air de dormir. Il était tout raide, comme enveloppé dans sa peau bien rissolée. Heureusement, elle put attirer l'attention de l'un des robots tortionnaires, qui l'aida à charger Vaste sur le premier tapis roulant. Les changements étaient assez faciles à faire : elle saisissait Vaste à bras-le-corps et le traînait sur le tapis suivant. Il y laissait bien quelques lambeaux de peau, mais, au pire, cela lui ferait quelques cicatrices de plus.

Enfin ils entrèrent en ville. Elle le déposa à côté du dernier tapis et courut chercher Roxanne. Quand les deux femmes revinrent, quelques chiens étaient en train de renifler Vaste d'un air gourmand, et déjà les fourmis s'aventuraient sur son corps. Elles l'inondèrent de trois seaux d'eau, ce qui fit fuir tout le monde. On trouva une civière, et des copains les aidèrent à amener Vaste chez elles. Selon Roxanne, le pauvre amant de Lame ressemblait à présent à ces merveilleux beignets aux bananes, recouverts de sucre d'orge, qu'on peut déguster dans les restaurants chinois. Lame alla prendre une douche et se mit à pleurer. On lui servit un verre et l'enjoignit de ne pas s'en faire. Elle tomba endormie.

La pièce que se partageaient Roxanne et Lame prit des allures de chambre d'hôpital. Comme Vaste avait été gracié, les soins nécessaires à sa réhabilitation étaient gratuits. Jour et nuit pendant des semaines, on s'affaira à son chevet. Une ambulance privée le menait à la piscine, chez tel ou tel spécialiste, etc. Il reprenait lentement vie. Mais il demeurait muet, insensible, tellement son séjour dans la fournaise l'avait traumatisé. On finit par le transférer à l'hôpital du palais, ce qui permit aux deux femmes de se reposer. Lame lui rendait visite, de temps en temps.

— Et la passion ? demanda-t-elle un jour de nouveau à Roxanne.

— Crois-tu qu'on pourrait s'en passer? répondit-elle.

— Il pourrait y avoir des arbres sans passion sur terre, je pense, et des roches sans passion. Il peut y avoir de l'amour sans passion. On peut prendre plaisir à manger un bon repas sans passion. Ou à écouter de la musique. Ou à lire un livre.

— Les enfants n'ont pas de passion, en général ; les personnes âgées non plus. Les mères de jeunes enfants en sont souvent à l'abri, les malades aussi. Un humain digne de ce nom n'a pas besoin de brûler pour quelqu'un d'autre.

— C'est ça. Il peut vivre avec des écailles sur les yeux et la peau comme un sucre d'orge.

— Bien dit, Lame.

— Mais toi, Roxanne, je me demande parfois si tu as jamais aimé. Tu es si impartialement aimable.

Et ne me réponds pas que tu es amoureuse du monde entier.

— Tu en douterais.

— Oh oui !

— Tu aurais raison. C'est pour moi un problème : je devrais aimer davantage. Je me sens émoussée : je l'ai trop fait quand j'étais plus jeune.

— Tu as trop aimé ?

— À tort et à travers, oui. Tu vois les poches sous mes yeux ? J'ai pleuré aussi. Ça ne marchait jamais.

Lame alla chercher la bouteille de malt et versa deux verres, vidés puis remplis un certain nombre de fois. Les yeux de Roxanne, d'habitude bienveillants et souriants, étincelaient.

— J'ai attrapé la passion avec la puberté, commença-t-elle. Soudain, du jour au lendemain, des gens se mirent à me faire de l'effet.

— Les écailles de l'enfance étaient tombées de tes yeux.

— De tout mon corps, de tout mon esprit. D'un coup, brusquement, la beauté du monde apparaissait parfaite, insoutenable, et celle de certains êtres aussi.

— Aimais-tu tout ?

— Jamais de la vie ! D'abord, je me détestais de ne pas avoir vu ça avant. Mais si un jeune homme me plaisait, je pouvais penser à lui pendant des jours. C'était captivant et embarrassant. Je ne pouvais rien faire : ce serait à lui de me parler le premier. Bien sûr, il ne le faisait pas.

— Tu te sentais comme une pièce de viande sur l'étalage : beaucoup te regardent mais personne ne te choisit.

— Exactement. C'était sans espoir. Heureusement, il y avait des filles, et des femmes.

— Elles t'attiraient ?

— À défaut d'autre chose ! Je me suis enthousiasmée pour des camarades de classe, pour des profs.

— Tu aurais voulu coucher avec ?

— Oui, si elles avaient voulu. Évidemment, c'était hors de question. Mais la liberté du rêve…

— … est la seule que rien ne vient détruire. Je sais.

— Quand j'avais presque douze ans, une de mes camarades m'a captivée ; elle était plus vieille que moi, et très intelligente. Elle connaissait le monde à l'extérieur de l'école et de la maison. Elle était du genre à brûler ses chandelles aux morts en public et à trouver quoi dire pour ne pas être jugée folle. J'aurais voulu qu'elle m'invite à la suivre.

— Tu le lui as demandé ?

— Non. J'ai vaguement senti qu'elle m'admirait de son côté, et ma passion pour elle est alors tombée d'un coup.

— Pourquoi ?

— Tout devenait alors trop normal, trop acceptable. En continuant sur cette pente, nous serions devenues deux bonnes amies de plus. Ce n'était pas mon besoin. On ne brûle pas pour celle qui va répondre à nos questions. On brûle pour celle qui sait rester immobile, incandescente, inaltérable.

— Comme moi pour Vaste : s'il avait été raisonnable et normal, d'abord il ne m'aurait jamais sauvée. S'il l'avait par hasard fait, ou bien il n'aurait jamais couché avec moi, ou bien, finalement, il aurait attendu que je sois devenue présentable. Nous aurions formé un couple popote, tout juste capable d'émigrer vers des climats plus verdoyants, quel ennui !

— Quand je vais sur terre et que j'écoute des discours sur la paix, j'ai envie de fouetter ceux qui parlent. Ils ne tiennent jamais compte de la passion. Ils disent souhaiter un monde de sucre d'orge et de travail honnête. Et le feu ?

— C'est ce qui t'attire ici ?

— Tu parles ! Bon, il y a eu cette camarade de classe, puis un professeur quand j'avais douze ans ; encore une camarade l'année de mes treize ans ; enfin un professeur, cette fois quand j'avais quatorze, quinze et seize ans. J'étais incapable d'éprouver de la passion pour deux personnes en même temps, mais celle que j'ai aimée trois années durant, je t'assure, quelle expérience ! Trois années durant sans rien dire à personne, sauf à elle, une fois, à mots couverts. Trois grandes années de passion silencieuse et ardente. Quelle merveilleuse impression de transgresser l'idiotie ambiante ! Je me sentais vivre. Unilatéralement, seule, j'avais décidé que les chansons d'amour prendraient leur sens dans mon univers. J'avais découvert une femme digne de passion et je n'avais de comptes à rendre à personne.

— Il y a de la rage dans cet amour-là.

— Une passion sans rage ne peut pas défier le banal.

Lame prit songeusement une gorgée de scotch et remarqua :

— Tu m'as pourtant dit que tu méprisais tes professeurs, ces braves dames qui se prenaient pour des dompteuses de souris. Les professeurs dont tu as été amoureuse te traitaient-elles autrement ?

— Non. Elles étaient à la fois dompteuses et souris, plus savantes que leurs élèves mais tout autant prisonnières. Leur impossibilité de s'en sortir me séduisait.

— Tu aurais voulu les aider ?

— Nous aurions pu nous libérer ensemble, en d'autres temps.

— En es-tu certaine ?

— Non, et oui. Non, si l'on suit la logique du monde, où les entreprises promises au succès ne vont pas vraiment à contre-courant. J'étais seule dans ma passion, je doute qu'elle ait été partagée. Isolée, je n'avais pas la force de changer les idées reçues pour que nous y trouvions le bonheur. D'autre part, oui. Là-bas comme ici, les gens sont toujours plus vastes qu'ils ne le croient. Ma passion prenait racine dans ce qu'il y a de plus vaste, de plus pur, dans ce qui peut triompher de tout.

— À quoi a-t-elle servi, cette passion, Roxanne ? A-t-elle aidé cette femme à vivre ? Concrètement, ça a donné quoi ?

— Je ne le saurai jamais. Cette passion m'a donné confiance en moi, et elle m'a fait trembler de peur. J'ai découvert que, contrairement à ceux qui m'entouraient, je pouvais vivre intensément quelque chose de secret, d'interdit. Mes parents veillaient sur la sécurité de mon corps, mais je leur avais complètement échappé par l'esprit.

— Comme dans la complainte que je n'ai pas pu chanter à Vaste. Ta passion te plaçait sur un échafaud intérieur, tu étais une enfant perdue. Tes parents ne reverraient jamais celle que tu avais été.

— Du point de vue de cette passion, je pouvais contempler l'univers entier. J'avais moins envie de grogner contre tous les détails imbéciles : aimer cette femme si belle et si inaccessible faisait vibrer l'espace de ma vie.

— La question te semblera peut-être terre à terre, mais la voici : réussissais-tu bien à ses cours ?

— Hélas ! oui. Cet aspect-là, je le regrette. Puisque je l'aimais, je voulais stupidement être sa meilleure élève, faute d'obtenir plus de la relation. J'y parvenais, ce qui est encore plus désolant. Un grand amour qui se traduit par de bonnes notes à l'examen, c'est pitoyable. J'avais l'impression de ne pas avoir le choix, je voulais une dimension utilitaire à ce que j'éprouvais. C'est très facile de canaliser l'amour en actes, mais au prix de combien de compromis ! On aime ses enfants pour pouvoir bien tenir maison, on aime son mari pour avoir l'énergie de lui faire l'amour pendant cinquante ans s'il le faut, on aime son prof pour mieux apprendre ce qu'elle enseigne : c'est lamentable !

— Les bonnes notes au cours, c'est tout ce que tu faisais par rapport à ce que tu ressentais ?

— Pas vraiment, tout de même. Des mois durant, j'ai essayé de dessiner son visage ; quand enfin je suis parvenue à quelque chose qui lui ressemblait un peu, j'ai mis ce dessin-là à un endroit spécial. Quand je me risquais à le regarder, j'avais presque honte de mon geste. J'étais embarrassée de désirer à ce point sa présence. Au début des vacances d'été, j'avais l'impression qu'on m'enfonçait un poignard au cœur : je ne la reverrais plus avant l'automne ! Puis la douleur devenait sourde, et je passais des étés engourdie, étonnée de pouvoir supporter son absence. Quand de nouveau les classes reprenaient, quelle délivrance ! De nouveau je pouvais entendre sa voix, contempler son beau visage encadré de cheveux noirs. Parfois, une fois ou deux par année peut-être, elle m'adressait la parole, ce qui me transportait de bonheur. J'écrivais des poèmes en pensant à elle, mais je n'ai jamais été assez folle pour essayer de les lui montrer. J'aurais voulu que nous nous retrouvions seules au sommet du mont Royal, à contempler la ville en se dévoilant l'une à l'autre le fond de notre cœur.

— Tu aurais aperçu tes copines de classe à l'ombre d'un café et tu leur aurais demandé d'aller avertir tes parents…

— Pas du tout. Seulement elle et moi. Les autres : transformés en fantômes ! Alors, dans ses bras, peu à peu, j'aurais cessé d'avoir mal, le couteau se serait définitivement retiré de mon cœur. Les choses seraient devenues comme elles sont censées être, où ceux qui aiment sont aimés en retour, avec autant de puissance et de profondeur.

— Ha !

— Je ne te le fais pas dire. Crois-tu qu'on ait droit à l'amour ?

— Je me le demande. À la tendresse, oui, à l'affection, certainement, et tant mieux. Mais imagines-tu des gens brandissant des pancartes pour revendiquer le droit de vivre une passion partagée ? Brandis tant que tu veux, qu'est-ce que ça changera ? Tu feras rire de toi, c'est tout.

— Pour moi, en tout cas, je trouvais le sens de la vie simplement en pensant à elle. Tous les autres n'étaient que des sortes d'automates et de fardoches, ils encombraient mon paysage, je craignais leur jugement sans pour autant leur reconnaître de cœur. Hormis les fantômes, bien sûr, les chats et peut-être quelques écrivains, hormis l'océan, le vent et les glaces, hormis quelques éclaircies dans le brouillard de mon existence d'alors, le reste, c'était comme les croûtes sur le corps de Vaste, témoignant d'une douleur tellement grande que tout m'indifférait, sauf penser à elle.

— Aurait-elle pu être interchangeable avec quelqu'un d'autre ?

— Évidemment, oui. Son visage a été remplacé par celui de quelques autres personnes au cours des ans. Parfois nous avons été amants, parfois non. La sensation d'avoir accès à un autre monde, plus vrai que celui des habitudes, demeurait présente. Le désespoir aussi, parce que ça ne marchait jamais longtemps.

— Comment cela s'est-il terminé, avec elle ?

— Je quittais l'école pour entrer à l'université. Je savais que je n'aurais plus de prétexte pour la voir. Inéluctablement, elle allait quitter mon univers. Il y a eu des examens de fin d'année, et elle y était un peu plus disponible qu'avant, elle nous parlait davantage, à nous, ses grandes élèves dont la vie se continuerait ailleurs. Un jour, même, et je ne l'oublierai jamais, elle a posé sa main sur mon épaule pendant quelques secondes. Je l'avais aimée trois années entières, et enfin elle posait sa main sur moi, avant que nous ne nous séparions à jamais.

Ces instants-là, c'était de l'éternité concentrée. Pendant les jours suivants, je ne portais plus à terre: un miracle avait eu lieu, ma bien-aimée m'avait touchée, moi que nul ne touchait plus.

— Alors?

— Qu'est-ce que tu penses? Les choses ont suivi leur cours. Il y a eu une dernière journée de classe, puis c'était fini. Le couteau m'entrait entre les épaules, il ne ressortirait plus. Pourtant, pendant ces vacances-là, je hantai le quartier où elle vivait, entretenant l'espoir fou de l'apercevoir encore. Un jour, je l'ai vue. Elle entrait dans un grand magasin. N'écoutant que mon cœur, je l'ai suivie, me disant que je pourrais inventer un prétexte pour lui adresser la parole. Je ne l'ai pas trouvée, cependant. J'ai traîné dans les rayons, j'ai fait quelques achats. D'un coup, mon humeur était en train de devenir plus pragmatique. Quand je suis sortie…

— Oui?

— Quand je suis sortie, ça a été la délivrance, Lame. Je ne la reverrais plus, à présent c'était clair. Une nouvelle perspective m'apparaissait: celle de continuer ma vie comme si cette passion n'avait jamais été vécue. Je deviendrais une étudiante d'université présentable, dont le passé trouble serait tout simplement invisible. Il n'y avait pas de traces; je n'avais rien à avouer! J'étais libre!

— Tu ne l'as vraiment jamais revue?

— Quand elle a quitté l'école, nous, les anciennes, avons été invitées à un souper. D'autres professeurs partaient la même année. On a célébré tout le monde. Elle et moi, nous nous sommes serré les mains si fort que ça m'a fait mal.

— Comme ça, elle t'aimait aussi.

— Je ne le saurai jamais. Qu'est-ce que ça changerait ? Depuis ce jour, je l'ai complètement perdue de vue. Je ne sais plus où elle est. J'ignore si elle est morte ou vivante.

— Peut-être la retrouverons-nous aux enfers mous, pour avoir eu la paresse de ne pas répondre à ton appel.

— Eh là ! Ma passion pour elle fut sans doute la plus parfaite, la plus incandescente de toute ma vie. Pas une bavure, pas un éclat de voix disgracieux, rien d'exagéré ni de déplacé. Une passion élégante comme un pur-sang. Avec un homme, je n'ai jamais pu atteindre ce degré de morgue et de noblesse. Elle était une belle dame sans merci, une infante inaccessible. Pour brûler sous son regard, nul besoin de vérifier de quoi elle aurait été capable au lit. C'était de l'amour courtois. L'aimer était mon premier choix libre d'adulte. Elle ne mérite aucune punition : elle a été à la hauteur. Trois années durant, elle fut ma muse secrète. C'est long, trois ans de secret, quand on est jeune. Ça forme le caractère.

— Tu n'as jamais trouvé mieux ?

— J'ai trouvé plus de tendresse, et beaucoup plus d'indiscipline, de laisser-aller, d'irresponsabilité. J'ai trouvé des partenaires qui refusaient que la relation soit un défi, une occasion de se dépasser soi-même, d'avoir accès à la profondeur bleue de l'espace où tout est possible.

— À tes yeux, ils pervertissaient la passion ?

— Parfois. Certains risquent de croupir un jour dans la fange des enfers mous. Je leur offrais un flambeau ; ils voulaient des grivoiseries et des douceurs. J'ai satisfait leur désir et nous y avons pris plaisir, sans aucun doute. Mais nous aurions pu faire mieux.

— Je me demande si j'aurais pu faire mieux avec Vaste.

— Il t'a sauvée, tu l'as sauvé : vous êtes quittes. Il y a peut-être quelqu'un d'autre pour toi.

— Qui ?

— Tu es plus belle que tu ne l'as jamais été. Il y a peut-être quelqu'un pour toi, aussi beau, aussi profond que toi. Et s'il n'y en a pas, la solitude est grande.

Comme Lame avait de nouveau envie de pleurer, elle souhaita bonne nuit à Roxanne et sortit dehors. Le tapis roulant était fermé pour la nuit. Elle marcha jusqu'aux abords de la ville, contemplant les fumées et les flammes au loin. Pour un Vaste délivré, combien d'êtres souffraient encore ? Elle s'était pris pour une Orphée féminine et avait réussi, plutôt drôlement, là où il avait échoué. Mais elle avait perdu une lyre, et gagné quoi, au juste ? Un amant insensible et souffrant, sans mémoire, sans désir, et l'interdiction de retourner chanter là-bas ? Non, il y avait plus précieux. Elle avait gagné en tristesse et en dignité, comme jadis Roxanne.

De nouveau, les jours passèrent. Roxanne faisait son travail avec l'ambition d'obtenir des résultats concrets, de soulager de manière vérifiable les tourments de ceux et celles qui pouvaient se rendre jusqu'à elle. Après tout ce qu'elle venait de raconter à Lame, celle-ci en était un peu étonnée : son apologie de l'amour courtois, sans espoir d'accomplissement, comment se conciliait-elle avec les conseils pratiques et les objectifs concrets qui étaient l'essence de son travail ? Elle put lui en parler :

— Je pensais que ton message, ici, était le bon vieux « épanouissement de soi et utilité aux autres ». Y crois-tu vraiment ou bien préfères-tu un point de vue plus rebelle, celui que tu avais dans ta jeunesse ? Un altruisme de surface et, à l'intérieur, des passions désincarnées ?

— Épanouissement de soi et utilité aux autres, ce peut être une libération ou un carcan. J'ai pu remplir ma promesse. Vers l'âge mûr, j'ai pu commencer à aider les fantômes – ceux d'ici, en tout cas. L'engagement que j'avais pris, toute jeune, envers un rêve, je le remplis et je continuerai à le faire tant que j'en serai capable. Mais je ne suis pas entièrement définie par ma promesse, je demeure celle que j'ai été, qui a connu un amour transparent et dur comme un diamant.

— As-tu cherché à savoir si elle est ici, la belle de tes nuits de jadis ?

— Ce serait contre l'éthique de ma profession. On ne travaille pas en enfer dans le but de poursuivre des intérêts personnels.

— Donne-moi son nom : je sais comment fouiller dans les fichiers, ici. En plus, le système peut se connecter à toutes sortes d'autres mondes. Seulement son nom, et je pourrai te dire où elle est.

— Non. Même si je la revoyais, tu comprends, ce ne pourrait plus être comme avant. Je perdrais des illusions, je perdrais la force qui en provient. Si nous parlions une heure ensemble, ce qui ne nous est encore jamais arrivé, tôt ou tard ce serait banal. Notre perfection venait de notre isolement mutuel. Certains personnages de livres ou de films, certains morts, et certaines personnes vivantes rencontrées dans des circonstances extrêmes, peuvent devenir de véritables inspirations, de grands miroirs de liberté, non pas comme le sont les sages ou les saints mais par la force graphique de leur trajectoire. Elle fut de ces gens-là pour moi. Ni exemple ni mentor, mais beauté glaciale rivée dans le béton des corridors d'école et les grilles d'horaires. Libre parce qu'elle s'en fichait.

— Ce n'est pas un idéal.

— En effet. C'est une déclaration.

— Je pensais que tu fonctionnais avec des idéaux de bonne âme !

— J'ai passé les examens, les juges me connaissent telle quelle. M'épanouir moi-même signifie m'accepter telle que je suis. J'ai droit à mes passions.

— Mais quand tu avais un mari et des enfants, est-ce qu'ils savaient que, dans le fond, tu aurais préféré que le monde entier, y compris eux-mêmes, soit autre ?

— Je ne mettais pas l'accent là-dessus dans mes contacts avec eux, c'est bien clair. Je travaillais dans le concret des échanges, comme je le fais maintenant. Une situation, c'est surtout ce qu'on en perçoit. Il suffisait que je m'interroge sur mon regard pour me rendre compte que, hélas ! je n'étais pas plus réconciliée avec le monde à quarante ans qu'à trois ou à douze.

— Tu aurais pu partir, au lieu de laisser faire.

— Pour que mes compagnons se sentent rejetés ? De quoi étaient-ils donc coupables ? Et puis, où est-ce que je serais allée ? Étais-je si certaine d'avoir accès à un autre lieu où ça irait vraiment mieux ? Le paradis selon mes plans, je pouvais sans cesse l'inventer en me fermant les yeux. Pourquoi en chercher un modèle avec de vrais humains, de la vraie roche et de la vraie herbe ?

— Tu l'as pourtant cherché, j'en suis sûre.

— Dans le regard des hommes que j'ai aimés, oui, comme tout le monde. Il était là, d'ailleurs, pendant un temps bref, puis il s'en allait.

— Tu as des regrets ?

— Non. Je n'ai pas regretté ce que j'ai vu. Maintenant, je suis trop vieille pour attirer les hommes.

— Tu es encore jeune.

— Assez pour être utile, oui, mais déjà trop vieille pour qu'ils aient envie de me faire l'amour. Ils aiment quand ça bouge, quand c'est frétillant. Mon corps n'est plus comme ça. Il faut que je m'habitue au rejet, parce que je n'ai pas le choix.

— Comme moi, dans mon autre vie : j'étais née laide, aucun homme ne voudrait jamais de moi, c'était final.

— Exactement. Il faut s'habituer à se sentir non voulue, avec dignité. Il restera toujours des yeux pour pleurer, et pour voir la beauté du monde. On ne pourra plus voir le paradis dans les yeux d'un homme, mais on n'a pas besoin du regard d'un homme pour avoir le droit de vivre.

— Tu crois ?

— On n'a pas besoin d'être aimée pour brûler de passion, on n'a jamais besoin de personne. Tout ce qu'il nous faut, c'est un simulacre, et on n'a jamais rien de plus, d'ailleurs.

— Tu penses ?

— Évidemment ! Le monde est construit sur un échafaudage de faux-semblants. Heureusement, il y a toujours des ouvertures, des trous, des claires-voies.

— Et la sincérité ?

— C'est une grande richesse. C'est un chatoiement de plus.

— Si on t'avait mise en prison, Roxanne, quand tu étais jeune, dans une vraie prison d'amour, où tu aurais rencontré non seulement des parents attentionnés, des amants ou des maîtresses inspirés, mais aussi des maîtres sages, qui t'auraient initiée au savoir selon des règles que tu aurais acceptées, si en somme ta jeunesse entière s'était écoulée dans ce monde juste que tu n'as jamais connu concrètement, s'il t'avait été impossible de te rebeller parce que tout aurait eu du bon sens, parlerais-tu encore de faux-semblants et de simulacres ?

— Je les percevrais encore plus clairement. Nous en serions tous conscients, et tout serait un peu plus simple, sans doute.

— Et la passion ?

— Elle serait peut-être rebaptisée feu.

— À t'entendre, on dirait que rien n'existe, donc tout existe.

— Enfin, d'où sors-tu, Lame ? C'est tout de même évident !

Sur l'insistance de Lame, Roxanne consentit à lui indiquer quelques ouvrages de référence, puis elles passèrent à autre chose.

L'ABCÈS MÛRIT

Comme Vaste était traité au palais, Lame se remit à y aller. Les années passées dans un autre quartier de la ville lui avaient permis de prendre une distance psychologique à l'égard de ce monument de sadisme et de démence. Elle prit même un vague plaisir à saluer de vieilles connaissances et à remarquer que sa marque au poignet lui donnait accès aux archives, aux salles du conseil, et même aux appartements du prince Rel, qu'elle avait complètement perdu de vue depuis qu'il s'était affirmé une autre.

Elle allait là en général quand Roxanne montait sur terre ; la bonne âme revêtait ses ailes géantes de nocturne et prenait son essor vers quelque trou dans le béton céleste. Lame, elle, tout en songeant au retour de sa compagne et aux friandises dont son baluchon serait rempli, gravissait le chemin du palais et y fouinait un peu partout, admirant son reflet svelte dans les grands miroirs, se mirant aussi dans les urnes d'hématite et les lances d'acier. À la bibliothèque, elle trouva sans aucune difficulté les ouvrages dont Roxanne lui avait donné le titre, et put les lire. Ainsi, les dirigeants des enfers, pour rendre leur monde viable et en exploiter les possibilités, devaient être au courant de leur non-existence, ainsi que de celle de ce qui les entourait, de tout le reste en fait. Réfléchissant à cela, Lame avait parfois l'impression bienheureuse de se désintégrer.

Elle terminait sa visite par la chambre de Vaste. Il était toujours aussi inconscient, ce qui, en somme, n'était pas très cauchemardesque. Elle ne se gênait pas pour profiter de la situation. Bien sûr, elle n'allait pas jusqu'à lui chanter la *Complainte du mandrin* ou autre chose, de peur de voir surgir le roi des enfers comme un diable sortant d'une boîte, animé de la même juste colère qu'un brave voisin qui n'apprécie pas votre veillée. Non, ses tourments n'étaient dirigés que vers Vaste.

Elle lui chuchotait des mots doux à l'oreille, lui passait la main dans les cheveux, qui avaient repoussé bien blonds, lui déclarait tout son amour et son désir de le revoir bouger. Elle se doutait que, s'il avait été valide, il l'aurait envoyée promener. Elle lui donnait la becquée et le regardait manger lentement, distraitement, la sauce coulant parfois dans sa jolie barbe frisée. Elle le regardait se faire laver, ou bien coucher, et lui lisait peut-être une histoire. Elle lui montrait des objets qui lui avaient appartenu et qu'elle avait conservés. Elle s'abandonnait à son propre tempérament sentimental, puisqu'il était incapable de se défendre. Puis, soulagée, détendue, elle quittait le palais pour aller déguster de nouvelles pralines avec Roxanne ou bien vider un pot avec un damné en rééducation.

Elle ne faisait pas ces activités avec l'impression d'être utile, mais plutôt pour se défouler. Vaste avait été violent. Si jamais il reprenait ses sens, il avait beau avoir été gracié, il ne serait pas devenu un agneau. Puisqu'il avait cessé de l'aimer longtemps avant de s'en aller rôtir, il ne se réveillerait pas en la désirant comme au premier jour. L'homme immobile qu'elle caressait était celui qu'elle aurait voulu qu'il soit, rien de plus. Mais elle n'avait rien à perdre, ses actes étaient thérapeutiquement corrects, on le lui avait affirmé. Il était incapable de se rendre compte qu'il rejetterait l'affection qu'elle lui prodiguait. Il était inconscient et elle était presque dupe, se laissant aller à se sentir amoureuse de cette créature passive qui jadis lui avait sauvé la vie.

Personne ne la condamnait, elle. On la trouvait courageuse, même. Elle ne se gênait pas pour en profiter. Dans le crépuscule infernal, ce n'était pas le pire des compromis.

Cependant elle continuait à interroger Roxanne sur ses premières amours, espérant mystérieusement découvrir là de quoi mieux se comprendre elle-même, ou du moins se bercer.

— Il y a trois façons d'envisager l'amour dont je t'ai parlé, lui dit un jour Roxanne. La première, nous la connaissons bien, toi et moi. Elle consiste à dire que ces amours de jeunesse font partie du processus de maturation de bien des gens. J'ai vécu cet épisode, puis je suis devenue une adulte responsable, épouse et mère. Donc cette passion adolescente n'était qu'une bizarrerie sans conséquence. Ce point de vue présente des avantages : banalisant ma grande passion parce que je n'étais qu'une mineure, il me laissa libre de « refaire ma vie », en somme. D'ailleurs, ce point de vue, je l'ai privilégié ma jeunesse durant. Je n'avais de confidence à faire à personne puisque désormais – tous pouvaient le constater et moi aussi – j'étais normale.

— Dans ton monde aussi, on avait envie d'être normal ?

— Bien sûr, et surtout quand on était jeune. C'est une maladie dont plusieurs guérissent. Mais le traitement est souvent douloureux. La seconde manière de considérer la passion que je t'ai contée est comme dans le récit que je t'en ai fait, où j'ai posé la situation comme exemplaire. Le premier point de vue satisfait sociologues et psychologues, le second va dans le sens des chansons d'amour, genre : « Belle qui tiens ma vie captive dans tes yeux, viens tôt me secourir ou me faudra mourir. » Des fois on a envie de statistiques, d'autres fois on aime les doux tourments.

— Et la troisième façon ?

— Elle est infernale.

— Comment donc ?

— Ces années-là furent pour moi horribles. Je ne gouvernais aucun aspect de ma vie, sauf mes pensées. Un amour irrationnel était une réaction contre l'irrationnel de tout le reste. Ça n'enlevait rien de la douleur ambiante, ça la modulait seulement. Je regardais ma prof écrire au tableau et je m'arrachais la peau du bout des doigts jusqu'à ce que ça saigne. Il n'y avait rien à faire. Tout était bloqué. Ma vie était prise dans un carcan d'inutilité. Comme j'étais seule à m'en rendre compte, j'avais honte de ce que je réalisais, honte de mon intelligence, honte de ma passion, honte d'être en vie. Même plus tard, quand j'ai obtenu un beau déguisement de femme normale et épanouie, la crainte demeurait tapie qu'on me démasque un jour, que la haine ambiante m'atteigne de plein fouet. Je n'avais pas vraiment le droit d'être là. J'étais entrée en contrebande, j'étais une bombe de lucidité qui ne savait pas si elle trouverait où exploser.

— Au moins tu reconnaissais ta lucidité.

— Oh oui ! J'avais confiance en elle, même si elle changeait comme une girouette. L'école a fini, j'ai commencé l'université, le monde a changé, la vie a suivi son cours. Pendant des dizaines d'années, je n'ai pas eu l'occasion de repasser devant l'école où j'avais étudié, et j'évitais même ce lieu. Puis, au hasard de déménagements, je m'en suis rapprochée. Alors, quand je passais là en autobus, maintenant que j'étais une adulte d'âge mûr, je me surprenais à regarder furtivement vers le stationnement, comme je n'avais jamais manqué de le faire jadis, au cas où « sa » voiture serait là, et peut-être elle aussi, que je pourrais apercevoir pendant un instant béni. Puis le fantasme tournait au vinaigre, je m'imaginais coupée en morceaux, les bras transformés en bouillie sanglante d'où les os émergeaient. De toute évidence, sur un certain plan, cette passion, je la désapprouvais, et à juste titre. D'accord, elle me donnait confiance parce qu'elle était un acte de révolte sans bavure. Mais elle me faisait aussi honte, me marginalisant, me chargeant d'un secret qui n'intéressait personne, certes, sauf moi, ce qui n'est pas rien. Tu sais pourquoi je te raconte ça ?

— Parce que je te le demande.

— Ça te sera utile plus tard. Tu as aussi tes coins sombres et tes points aveugles. Si tu crois que cela t'exempte d'être utile quand l'occasion se présente, eh bien, les enfers mous te guettent de nouveau.

— Tout de même !

— Tu sais que leur capacité a triplé depuis que tu en es partie.

— Non !

— Si. Tu pourras le vérifier.

— Je t'avouerai que, depuis que j'ai quitté ces lieux puants, j'ai préféré faire comme s'ils n'existaient plus.

— Comme moi, pour l'endroit où j'ai fait mes études. Quand je suis « revenue sur les lieux du crime », pour ainsi dire, j'ai fini par faire la paix avec ce qui s'était passé, et c'est ce que je te souhaite aussi. Mais ce que je voulais te dire est différent. Quand on se sent impuissant, victime, incapable de rien changer, et qu'on s'absorbe dans cet état d'esprit, l'enfer mou n'est pas loin. Et si je considère ce qui se passe là d'où je viens, je ne suis pas étonnée qu'on ait dû ouvrir de nouveaux enfers mous par ici.

— Qu'en pense le roi des enfers ?

— Pauvre bougre, pris avec ces hordes de damnés nouveau genre qui débarquent chez lui ! C'est curieux que tu m'en parles, justement je l'ai vu l'autre jour.

— Oui, je vous ai aperçus, c'est pour ça que je te posais la question.

— Je lui ai fait un rapport sur la surface : « De nos jours, un nombre croissant de gens se rendent compte que personne ne veut d'eux. Le citoyen moderne est un homme inutile. Aucun employeur ne veut de lui. Ses parents le repoussent, il rejette ses enfants et les destine ainsi à suivre ses traces. S'il s'exprime par l'art, il n'intéresse personne. Tant qu'il est jeune, il recherche la compagnie d'autres comme lui. Plus il vieillit, plus il est isolé et grognon. Finalement il meurt, en ayant coûté cher à tout le monde.»

— Que t'a-t-il répondu ?

— Que le but de son administration était de faire souffrir ceux qu'on lui confiait et qu'il se sentait très utile à son poste.

— Pourtant, Roxanne, quand j'étais en vie, personne ne voulait de moi, je n'intéressais personne, je t'assure.

— Et tu as abouti aux enfers mous.

— Ce n'était tout de même pas ma faute.

— Tu parles !

— Bon, je l'admets, j'aurais pu travailler avec l'énergie du désespoir.

— Justement. Comme tu le fais maintenant avec Vaste.

— Mais c'est honteux, ce que je fais avec Vaste ! Ce pauvre type, s'il se rendait compte ! J'agis comme s'il m'aimait. Alors que, c'est clair, lui non plus, pas davantage que les autres, ne veut rien savoir de moi. Qu'est-ce que je suis en train d'essayer de prouver, et à qui ?

— Je me le demande. Et moi avec ma blonde ou mes fantômes, dans le temps, tu parles !

— Mais qu'est-ce qu'il y a d'autre, Roxanne ? Si au lieu d'un ancien amant c'était un enfant, dix enfants, cent mille orphelins, est-ce que du coup j'aurais la justice et le bon sens de mon côté ? Suffit-il de s'agiter pour autrui pour échapper au marécage ? Et pour quoi faire ? Pour s'assurer une place confortable au pays des états d'esprit ?

— Pour qu'explose la bombe de lucidité dont nous sommes faites.

— Je n'exploserai pas du tout, Roxanne.

— Tu es en train d'exploser, et les juges du crépuscule te regardent.

— C'est ça, exploser, Roxanne, avoir l'air complètement fou et agir quand même ?

— Entre autres. Une fois qu'on y a goûté, on ne peut plus s'en passer.

— Pourquoi ?

— Tu verras. Avant de devenir bonne âme, on doit passer des examens. Et on doit rédiger son expérience. Je n'ai plus grand-chose à te dire, mais le texte, j'aimerais que tu le lises.

Elle tendit à Lame quelques feuillets.

L'ENTRÉE DES ENFERS

La promeneuse a fini de traverser le pont.

Elle ne s'en rend pas compte tout de suite, mais plus tard ce détail apparaîtra évident : pour la première fois de sa vie, elle est vraiment de l'autre côté, là où, depuis son enfance, elle voulait aller.

À l'entrée des enfers.

Son esprit, dompté par des années de discipline, demeure impassible tandis que se profilent au loin les premiers suppliciés, de l'autre côté des portes, en somme.

Elle ignore si elle pourra aider un seul de ces malheureux. Des années de travail pour parvenir ici, des années de patience, simplement pour supporter de voir ce qui s'y trouve. À l'entrée, pas même à l'intérieur.

À droite, les portes massives, noires, surgissent des brumes ténébreuses et rougeoyantes. Elle ignore si elle parviendra jamais à les franchir, à devenir franc-tireur, agent libre dans le lieu d'absence de liberté.

L'enfer est en soi, pour commencer. Tel est son point de départ.

D'habitude, il est masqué par des bancs de brume frivoles, des aurores boréales de bavardage et d'espoir.

Elle a dû les franchir pour arriver ici. Aux abords du lieu de douleur, où depuis si longtemps elle voulait parvenir.

Douleur, douleur… Bien sûr, comme à chacun, il a pu arriver à la promeneuse de surgir dans l'enfer, d'y passer des moments de panique, de haine, d'horreur. Son but n'est pas d'y retourner pour souffrir de cette façon-là, qui ne sert à rien, mais d'y retourner pour aider. Il faut alors souffrir autant que tout le monde, se dit-elle, et garder sa liberté d'action.

Sans espoir, elle marche sur la place à l'entrée des enfers. Le sol est ensanglanté. La brume s'effiloche pour dévoiler des scènes d'horreur. Solennelle, elle circule au milieu des combats.

Impassible, elle observe. Les émotions des êtres qu'elle regarde pénètrent son esprit à tombeau ouvert. Haine et terreur.

Le sol rougi est de pierres et de dalles. Des oiseaux s'y affrontent. Des albatros ? Des goélands ? Ils s'entretuent dans la panique et le vacarme.

Les yeux sont crevés, les plumes arrachées, la chair déchirée en lambeaux. Chez les vainqueurs comme chez les vaincus, becs et griffes blessent sans arrêt. Peu de cadavres : si près des enfers, on ressuscite sans cesse pour continuer plus avant dans l'atroce.

À ses pieds, un jeune goéland, ivre de rage, s'acharne contre les plus grands qui vont bientôt le tuer. Elle ne l'aime pas, et n'aime pas ses attaquants non plus. Rien à faire, ni pour les uns ni pour les autres. Un cyclone de colère destructrice pénètre son esprit et elle ne frémit pas. C'est le jeune goéland, enseveli sous la foule meurtrière des autres, qui ne fléchit pas. De ses mains nues elle pourrait l'empoigner ; il la détesterait alors et déchirerait ses mains. Elle ne connaît nul refuge où l'emmener.

C'est son enfer à elle.

Elle l'observe qui se débat de plus en plus faiblement, loque sanguinolente animée d'une haine illimitée. Levant les yeux, elle aperçoit des centaines, des milliers d'oiseaux de mer, et des millions de blessures. Ensanglantés, enragés les uns contre les autres, ils s'agitent et hurlent, hormis quelques cadavres, morceaux de chair rouge piqués de plumes collantes et percés par des os.

Lentement elle marche sur les dalles, sa robe rouge et noire traînant dans la poussière. Elle accepte de ne pouvoir rien faire. Elle est seule.

Peu à peu, en ce lieu onirique et meurtrier, son point de vue change. La folie déchaînée des oiseaux pénètre plus profondément dans son esprit. Il lui semble que ses yeux sont deux portails ; la haine des goélands peut les franchir. Il n'y a rien derrière.

Elle devient haine de goéland, et ses yeux sont des membranes unissant deux mondes semblables, intérieur et extérieur, aussi horribles l'un que l'autre. Elle n'entretient aucun projet à leur sujet.

La seule différence entre ces mondes est que, du côté de son esprit, certainement, il n'y a pas de limite.

« Je t'ai vu, mon amour », se racontera plus tard la promeneuse, « je t'ai vu surgir droit devant.

« Tu t'es dégagé d'un amoncellement de goélands acharnés à se détruire.

« Étais-tu la haine de ces êtres se manifestant sous forme humaine ? Prostré sur le sol, lentement tu t'es levé dans un dévoilement de brouillards.

« Tu ne semblais pas blessé, amour, et je t'appelle amour parce que je suis prête à ne jamais te revoir.

« Tu ne semblais pas blessé, tu semblais fou. Tu riais parmi les blessures et la haine. Tu ne voulais pas que j'aperçoive tes larmes.

« Des jours, des semaines à l'entrée des enfers sont passés. J'ai eu le temps de te contempler.

« Comme tu étais beau. Plus naïf que moi, tu essayais encore de t'en sortir. Plus fort que moi, tu étais parvenu ici sans beaucoup d'effort, en ce lieu qui n'est pas les enfers, où la souffrance n'est pas complètement envahissante, où il reste un peu d'espace. Ce lieu d'entraînement et d'examen pour ceux qui veulent aider.

« Je n'ai jamais compris si tu savais où tu étais. Ta beauté était en accord avec les oiseaux hurlants et le sol rouge. Longtemps auparavant, on avait dû te blesser, toi aussi. Tu avais dû blesser par la suite, de la même façon. Cela me faisait mal.

« T'aimer était une trahison : tu avais dû blesser des femmes, mes sœurs, qui t'aimaient. Vous vous étiez affrontés comme les goélands s'acharnent.

« Pourtant, mon seul moyen de communiquer avec toi était la passion : en ce lieu de paroxysme, nulle place pour l'intellect. Ce fut donc la passion, de moi vers toi, pour célébrer les feux et les fumées.

« On avait dû te blesser, toi aussi, et tu avais appris à le rendre. Ton corps était noueux, tes gestes maladroits, ton sourire très intense. Nous sommes restés désunis sur l'immense place où les oiseaux se déchirent.

« Nous sommes-nous parlé, mon amour, nous sommes-nous touchés ? Aurais-je accepté que tu me touches, toi qu'enflamment les blessures d'un temps révolu auquel personne ne peut rien ? »

La promeneuse observe l'étranger. Elle en a peur, mais elle le connaît. Elle l'aime, tout en le craignant.

Il la regarde, comme il le fait de temps en temps. Il ne se rend pas compte qu'elle l'aime, s'est-elle longtemps dit. Pourtant, ceux qui parviennent jusqu'ici ne peuvent qu'être attentifs. Il est donc conscient de cet amour, et feint l'innocence, pour ne pas l'embarrasser.

Lui, un presque monstre, se révèle ainsi capable de délicatesse. À l'entrée des enfers ! Elle en a les larmes aux yeux.

Alors, elle qui n'est que battant, membrane, et passion impassible, plonge dans ses yeux à lui.

Des trains noirs circulent de l'autre côté, en route vers des camps de concentration, où ils se seraient déchirés l'un l'autre d'une passion impossible, qui purifie et brûle, ne fléchissant pas, jusqu'à la mort froide.

Jusqu'aux cendres.

Des trains noirs circulent de l'autre côté, venant de villes de cauchemar, rougeoyantes et noires, où elle serait prête à aller vivre par amour pour cet homme, à vivre et à se perdre.

Là d'où elle vient, il lui est difficile de se perdre.

Enfin…

Fléchissante et réfléchissante, elle s'aperçoit dans les yeux de l'autre et accepte d'être aussi blessée que lui.

Lente et inexorable, elle marche sur la grande place à l'entrée des enfers.

L'étranger qu'elle aime est possédé d'autant de haine folle que le jeune goéland.

Elle s'ouvre. Ivre de haine, il s'engouffre en elle. Paroxysme d'amour qui ne fleurira jamais autre part. L'homme de blessures s'enfonce dans la femme de blessures et tous deux demeurent impassibles et cependant possédés.

L'esprit du jeune goéland la pénètre encore plus creux, dévorant les entrailles de ses rêves. Elle ne réagit pas. Et ne perd nul instant à se féliciter de son calme.

Les océans tout autour mugissent. Les océans et les fleuves aux alentours des enfers mugissent. Il fait sombre.

Pénétrée, déchirée, mourante et cependant non morte, de l'autre côté de ses yeux elle laisse s'envoler l'oiseau.

L'étranger vibre. Elle vibre. Les oiseaux vibrent dans la lumière rouge. La haine emplit complètement l'espace à l'entrée des enfers. Des enfants ont été battus. Ils ont hurlé pour être frappés encore plus. Des poings ont cogné contre des murs inexorables. Sang, cris, cheveux arrachés, puis trahisons. Autrefois, des arrachements et des rages ont défiguré l'enfance. Mais…

De l'autre côté des yeux, l'oiseau prend son essor.

C'était le récit de son premier séjour à l'entrée des enfers. L'autre, celui qui fit surgir l'amour, deviendra promeneur lui aussi.

Du côté de Rel

— Je ne savais pas que tu fabriquais des petits machins pareils, dit Lame à Roxanne en lui remettant le texte. Cet océan, ces oiseaux, c'est où ?

— Au nord. L'entrée vers les petits enfers froids.

— En plus, tu étais habillée comme moi maintenant.

— J'étais jeune.

— Et le type, tu l'as revu ?

— Jamais. Je l'ai peut-être inventé. Tu sais, il y a toujours quelque chose de faux dans nos amours, les tiennes ou les miennes.

— Quoi donc ?

— Eh bien, tout est mélangé. Par rapport à ce qui serait socialement convenable, s'entend. On a l'impression d'aimer l'autre pour lui faire du bien.

— C'est mal ?

— On n'est pas censé être amoureux pour être amoureux, et faire du bien pour faire du bien ?

— Mais ça ne rimerait à rien, Roxanne ! Tu me vois être amoureuse de Vaste simplement, comme ça, comme dans une annonce de bière ?

— Comme dans les chansons de ma jeunesse. De jeunes couples heureux qui prennent leurs loisirs ensemble.

— Misère ! C'est déjà assez inconfortable d'aimer, encore heureux que ça serve à quelque chose ! Je l'aime, donc je veux qu'il aille mieux : ça justifie que je pense à lui tout le temps ! Est-ce que c'était comme ça avec ta prof ?

— Oui, justement, en cela nous sommes semblables, toi et moi. Mais, tu sais, on a peut-être tort.

— Tu as appris ça dans tes cours de bonne âme ?

— Non, mais je n'y ai pas fait mystère de mon passé. Les examinateurs m'ont admise comme bonne âme en pleine connaissance de cause. Par contre, j'ignore si j'ai pu aider quiconque par la passion.

— En tout cas, Vaste m'a aidée par sa passion, et je l'ai aidé par la mienne. Je ne suis pas sûre de faire ce qui l'aide vraiment. Mais je ne ferais sans doute rien du tout pour lui si je n'en étais pas amoureuse.

— La question est plutôt : ne serais-tu pas plus efficace s'il t'obsédait moins ?

— Oh, on peut toujours rêver d'un monde idéal ! Entre-temps, on travaille avec ce qu'on a.

— L'altruisme est-il la rédemption de la passion, ou lui est-il contraire ?

— Je m'en fiche ! À un certain moment, on agit, c'est tout.

— Il y a des approches philosophiques et religieuses radicalement différentes, valables les unes et les autres, basées sur la réponse qu'on donne à cette question. Et ce n'est pas théorique. Ce qu'on fait pour quelqu'un parce qu'on l'aime, est-ce une bonne chose pour cette personne ? N'attend-on pas une gratification qui va tout fausser ? N'est-il pas plus sain d'être plus détaché ?

— Plus détachée, je ne ferais rien. Tu regrettes ta jeunesse, Roxanne ? Maintenant tu voudrais tout défaire et te prendre pour un pur esprit ? Mets-toi du rouge à lèvres et prends plutôt un amant !

— J'en ai passé l'âge.

— En tout cas, renier ton passé ne te mènera pas loin. Savoir qui on aide et comment, c'est peut-être trop demander. Mais on sait toujours qui on aime, même quand ça n'a pas de sens.

— C'est de la philosophie de bas-fond. Par contre, je m'y retrouve. Comment fais-tu, Lame, pour te maintenir dans cet esprit-là ?

— Tu parlais d'énergie du désespoir ?

— Oui. La passion rougeoie, la douleur est noire et grise, c'est l'enfer. Sur terre, les gens ont l'air enflés, ou rigides, tout fleuris qu'ils soient. Je suis venue aider les gens des enfers parce que j'appartiens aux enfers, même si je n'ai pas toujours envie de m'en rendre compte. Sur terre, il y a de beaux enfants et des gens sereins, responsables. Tant mieux pour eux. Les arbres verdoient et les rivières coulent, le ciel est libre, comme c'est bien. Mais les enfers m'ont appelée quand j'étais jeune, c'est ici que je vibre.

— Alors où est le problème, Roxanne ?

— Est-ce que j'aide les êtres d'ici par bonté, par désœuvrement ou par passion ?

— Qu'est-ce que ça peut bien leur faire ? Regarde-toi dans un de leurs miroirs d'acier ou d'hématite si tu veux voir ta beauté. Ensuite, agis.

— Le prince Rel, crois-tu qu'il agisse selon ces principes ?

— Cet être mi-homme mi-femme, mi-fou mi-sage ? Je ne sais pas s'il a des principes, Roxanne. Quand je l'ai connu, je l'ai plaint, puis admiré. Il semblait triste, mais au-dessus de la mêlée. Nous avons fait l'amour une fois, sur son instigation, et j'ai vu comme il était physiquement bizarre. Ensuite, j'ai vu comme il était psychologiquement bizarre, et nous nous sommes perdus de vue. Sa mère est folle et son père est dément. On ne peut quand même pas trop lui en demander.

— Ils sont là depuis des siècles. Ils n'ont pas dû être toujours fous.

— Qu'avaient-ils à s'accrocher au pouvoir ?

— Tu sais que ce sera bientôt le changement de règne.

— Ce brave prince s'apprête à marcher dans les traces de son père ? Il y a de quoi pavoiser ! On entend parler de ça depuis que je suis ici. Ils en ont peut-être pour des années avant de se décider.

— Tu devrais en parler au prince.

— Ou à la princesse, tu veux dire. Ça donnerait quoi ?

— Des informations de première main, venant de quelqu'un qui t'a aimée, et qui t'aime peut-être encore.

— Il ferait peut-être mieux de ne pas me faire confiance.

— Pourquoi ?

— Je ne sais pas si je l'aime, moi. En fait, c'est pourtant vrai, je n'ai pas besoin de le savoir.

Le lendemain, quand Lame se rendit au château pour tâcher d'attirer l'attention de Vaste, elle essaya ensuite de voir le prince héritier. Avec crainte, elle erra dans l'immense bâtisse, ne se souvenant plus bien où il logeait. Personne ne l'importuna, au point qu'elle se sentit un peu comme un fantôme. Les lieux avaient d'ailleurs une apparence abandonnée. La famille royale était peut-être en excursion.

Au moment où elle partait, son chemin croisa celui de Rel. Ils ne s'étaient pas trouvés face à face depuis des années. Pour Lame, Rel était surtout un homme, et elle le dévisagea avec une candeur qui l'étonna.

— Vous avez feint la folie, affirma-t-elle.

— Tu as douté de moi, répondit-il.

Ils se serrèrent la main. Elle ne sentit rien de spécial. Parce qu'elle ne voulait pas.

— Accepterais-tu d'être de nouveau ma secrétaire ? demanda-t-il.

— Vous avez oublié que vous ne vouliez même pas ma loyauté.

— J'ai dit ça ? Je ne fais pas toujours attention à ce que je dis. Et puis, c'est loin, tout ça.

— D'ailleurs, je réponds maintenant de mes actes auprès de ces gens-ci, répondit-elle en indiquant le signe des juges du crépuscule tatoué sur sa main.

— Dans ce cas, accepterais-tu d'être mon associée ?

— Prenons rendez-vous pour en discuter.

Il la quitta sitôt ce détail fixé. Les années ne lui avaient rien enlevé de son sens de la discrétion.

— Excellent, déclara Roxanne quand Lame l'eut mise au courant. Quand je suis arrivée ici, je me suis présentée devant les juges et devant le roi; le prince, lui, représente l'avenir, c'est bon que tu travailles avec lui.

— Il m'attire et m'effraie à la fois.

— C'est excellent. Bon, Lame, nos chemins vont sans doute bientôt se séparer. J'ai encore des choses à te dire.

Roxanne entraîna Lame, pour lui confier encore d'autres choses qui lui semblaient essentielles. Lame n'en voulait pas tant, mais elle écoutait par politesse. Roxanne, qui n'était sans doute pas dupe, poursuivit:

— Du temps où j'étais amoureuse de mon professeur, comme je t'ai raconté, je croyais qu'il y avait un autre monde tout près des apparences et qu'un jour nous nous y réveillerions tous pour nous y retrouver, dans ce monde de justice où la parole n'est jamais entravée. J'écoutais des chansons d'amour et j'avais l'impression que c'était vrai, qu'un jour je rencontrerais quelqu'un et que nous serions faits l'un pour l'autre. Arrivée à cinquante ans, j'ai dû me rendre à l'évidence: je n'avais plus l'air d'une héroïne de chansons d'amour. J'avais connu beaucoup de gens intéressants, j'avais vécu plusieurs passions, mais je n'avais pas rencontré « l'autre ». Le monde que j'avais pressenti plus jeune, lui non plus n'était pas là. Je me suis alors rendu compte que je pouvais quand même continuer à rêver à eux, à ces gens et à ces mondes, que je pouvais célébrer toute seule, flamboyer toute seule, sans attendre de rendez-vous. Dans ta relation avec Vaste, chaque fois tu fais face à la mort. Dans ta relation avec Rel, peut-être apprendras-tu à brûler toute seule.

— Pour éclairer le reste ?

— Oui. Tout le monde flamboie seul. On flamboie à cause de simulacres, de choses qu'on se fait croire. Des fois on a l'impression d'avoir besoin des autres, de sa famille, de ses amis, pour être heureux. C'est vrai jusqu'à un certain point.

— Je ne peux pas compter dessus, pour Vaste ou pour Rel.

— Qui sait quand le joli mercenaire cuit se réveillera et quand l'hermaphrodite échappera à la folie de son père ? Tu ne compteras que sur toi. As-tu une bonne réserve de rêves ?

— J'en avais beaucoup quand j'étais sur terre. Je les ai oubliés.

— Peut-être devras-tu t'en inventer d'autres, avec de beaux personnages qui t'aiment, te protègent et t'inspirent. Peut-être des gens que tu as connus et qui sont morts ou inaccessibles, peut-être des gens dont tu as entendu parler, peut-être des héros de contes ou de romans, peut-être des saints ou des personnages religieux, peut-être des gens de tes rêves nocturnes ou que tu inventes de toutes pièces. Ne te censure pas. Si tu as envie de te prendre pour eux, vas-y. Quand on n'a personne à qui se confier, on peut toujours évoquer ses propres fantômes. Quand la solitude se fait longue, les fantômes peuvent s'allumer. Le point n'est pas de demeurer fidèle à la réalité conventionnelle, mais de ne pas sombrer. Flamboyer coûte que coûte. Pour éclairer les autres. Ils n'ont pas besoin de savoir comment on s'y est pris. On leur apparaît comme un de leurs simulacres, de toute façon.

— Est-ce qu'un jour la vraie vie devient celle où ces personnages interviennent ?

— Oui, et non. Tu verras. Pour que ça marche, en tout cas, il ne faut pas d'attente.

Elles se rendirent ensemble au rendez-vous fixé avec le prince, mais demeurèrent à distance, surveillant le lieu où il arriverait.

À l'heure dite, il apparut avec sa suite, vêtu d'un élégant ensemble de laine beige. Avec une grâce discrète et féminine, il s'assit à la terrasse et commanda un thé glacé. Il croisa ses jambes rasées et gainées de soie, et prit la première gorgée en regardant tout autour. Les boucles brunes de ses cheveux courts encadraient soigneusement son visage. Il portait des lunettes légèrement teintées, sans doute pour qu'on le reconnaisse moins.

Roxanne chuchota à Lame :

— Sapristi ! Il a pris l'apparence de la femme que j'ai aimée ! Ah, les enfers ! Je serais tentée de te dire : « Réussis là où j'ai échoué ! » mais je préfère te laisser les coudées franches.

— Je le préfère aussi.

En geste d'adieu, Lame posa sa main sur l'épaule de Roxanne, comme cette femme aimée avait fait jadis. Roxanne reconnut l'allusion et repoussa la main, en expliquant :

— Toi, tu es une amie. Elle, elle fut toujours une étrangère. Va !

Dans un frou-frou de taffetas, Lame, vêtue de soieries rouges et noires, ses cheveux de jais ondulant jusqu'à la taille, rayonnant de la beauté d'un être qui n'a rien à perdre, s'approcha du prince héritier et prit place à sa table.

Elle choisit une pâtisserie à la crème et ses lèvres, qu'elle savait parfaitement ourlées, s'humectèrent de crème blanche. Autour d'eux, la place dallée de pierres sombres bourdonnait d'activité. Roxanne, qui s'était tenue sous l'arcade du fond, avait disparu dans la foule.

— La roue de mort est en train d'être érigée, mentionna le prince.

— De quoi s'agit-il ? demanda Lame.

— La mort de mon père s'annonce. Il s'immolera par le feu, avec ses ministres, selon la tradition. À cet effet, au nord-ouest de la ville on construit une grande roue de bois. Il se placera au centre, et ses compagnons sur les rayons, et le feu sera allumé pour qu'ils périssent.

— Vous, vous serez où ?

— Je ne sais pas. Peut-être déjà mort.

— J'aimerais vous protéger.

— J'ignore si cela vous sera possible. Nous verrons.

— Si nous sommes associés, ce sera dans quel but ?

— Il reste encore une couple d'années avant l'immolation. Ce qui est pour tout de suite, c'est la renégociation des contrats. Les émissaires des mondes dont nous châtions les condamnés arrivent à Arxann ces jours-ci. Mon père et moi, nous sommes en désaccord.

— Sur quel point ?

— Il voudrait que ce monde-ci continue à être un enfer après sa mort, parce que ça donne un bon niveau de vie à ceux qui y habitent. Pour ma part, je céderais bien à la tentation du désert.

— C'est-à-dire ?

— Plus un seul damné ici, fini les emplois de bourreau, et on se débrouille. Il ne restera plus qu'un désert, mais on pourrait découvrir comment s'arranger.

— Les gens, qu'est-ce qu'ils en pensent ?

— Je pense qu'ils sont d'accord avec moi. La torture, on finit par en avoir assez. Es-tu de cet avis ?

— Oui : c'est déjà assez affligeant qu'on ait besoin d'un enfer, si en plus il faut qu'il demeure toujours au même endroit ! Cela dit, qui dirige la renégociation ?

— Moi, puisque mon père ne sera bientôt plus là.

— Connaît-il l'orientation que vous allez lui donner ?

— Je crois qu'il s'en doute.

— Il aimerait vous voir mort, pour avoir le privilège de nommer un nouvel héritier qui serait d'accord avec lui ?

— Pas tout à fait, mais presque.

— Alors, je sers à quoi ?

— J'aimerais que tu sois dans la salle avec moi. Si tu ne veux pas faire la secrétaire, au moins prends des notes pour te donner une contenance.

— Vous avez déjà une suite, pour vous encourager et vous protéger.

— Sans doute, mais ces gens-là ne jouissent pas de ton prestige.

— Auprès de qui ?

— Auprès de mon père, et auprès de moi.

— Bon. J'aurai la permission de prendre la parole ?

— Oui.

— Faudra-t-il que je demeure au palais ?

— Pour le temps des audiences, ce serait plus pratique.

— Avez-vous prévu me payer et, si oui, combien ?

— Tant que j'en serai capable, j'assurerai ton bien-être et ta sécurité.

Lame fit une valise. Roxanne était émue de la voir partir. Dans ce monde changeant des enfers, elles ne savaient pas quand elles se reverraient. Lame dit pareillement au revoir à tout le voisinage, à tous ces copains et ces damnés réformés qui s'étaient établis tout près de la bonne âme pour profiter de sa présence et lui donner un coup de main si nécessaire. Elle monta la rue, quitta les faubourgs pour aller loger au palais, près de la chambre de Vaste. Le premier soir, elle fut invitée à dîner par le prince et fit la connaissance de l'un de ses amis, dont elle avait entendu parler jadis : il s'agissait de Sargad, qui habitait le monde voisin.

C'était un homme d'âge mûr, qui avait l'air vraiment gentil et vraiment ordinaire. Il portait une barbe en broussaille. En sa présence, Lame se sentait un peu redevenir une fille de la surface, sans charme et sans complication. Elle regarda le prince : il s'était habillé en homme, pour une fois, et avait l'air d'un étudiant appliqué qui rencontre son directeur de conscience. Ils mangèrent des cailles et se débrouillèrent avec tous les petits os, tellement plus fragiles que ceux des damnés. Mine de rien, ils s'assirent sous la table, dans une tente de métal pour éviter l'espionnage, et Sargad prit la parole :

— Bien sûr, prince, déclara-t-il, vous pouvez décider de ne pas renouveler les contrats qui vous lient aux mondes de la surface. Après avoir accepté que cet univers serve de colonie pénitentiaire depuis des millénaires, vous pouvez changer de disque. Les terres de surface crieront: « Pas dans ma cour! », mais ce sera leur problème. À elles d'éduquer leurs êtres pour produire moins d'inadaptés. Elles voient l'échéance arriver et font toutes sortes de pressions sur votre père pour que, bien sûr, tout continue comme avant et que votre monde soit de plus en plus fou, pervers, déviant. Mais c'est vous qui prenez la parole dans une semaine et qui donnez votre verdict. D'ici là je vous protège, au cas où des petits malins se douteraient que vous voulez faire changer le vent.

— L'enjeu, c'est quoi? demanda Lame.

— Des milliards d'êtres entassés ici. S'il y a déménagement, beaucoup mourront, et plusieurs d'entre eux verront leur peine se terminer ainsi. Beaucoup seront graciés parce qu'on aura besoin de main-d'œuvre. Il y aura donc une nette amélioration du sort global de cette population.

Elle regarda Rel. Il suait à grosses gouttes.

— Je joue au fou depuis des années pour donner le change, expliqua-t-il. Me trouver à jouer un rôle sensé devant tout le monde, ça me donne le trac.

— Il y a une chose que je ne comprends pas, remarqua-t-elle. Les juges du crépuscule sont plutôt infaillibles. S'ils ont condamné des foules entières à des milliers d'années de tourments, et que ces êtres échappent à leur sort pour un bête changement d'administration, n'y a-t-il pas une injustice?

— Non, et pour trois raisons, répondit le prince. D'abord, comme on dit, ceux qui méritent la potence iront se faire pendre ailleurs : dans leurs prochaines incarnations, ils rencontreront le destin qui leur pend au nez. Ensuite, nul ne sait avec certitude la longueur de la sentence de ceux qui croupissent ici. Il est parfaitement possible que des millions de sentences soient sur le point d'être terminées. Les juges du crépuscule sont là-dessus bien discrets ; ils disent où torturer qui, et comment, mais sont vagues sur la durée. Finalement, il peut arriver que des damnés raccourcissent leur peine par un changement d'attitude. C'est d'ailleurs la raison pour laquelle des bonnes âmes œuvrent ici.

Ils sortirent de dessous la nappe et, de nouveau dignement assis, savourèrent un dessert au miel.

Dans les jours qui suivirent, les délégués de différents mondes de surface se mirent à arriver à Arxann. Il y en avait en tout une centaine, avec leurs suites. Aux yeux de Lame, ils apparaissaient comme des rayons de soleil dans le monde d'acier, de sang et de poussière qui était le sien. La plupart étaient vêtus d'azur, de vert feuille, de gris clair ou de blanc. Elle se demandait cependant si, élégants et charmeurs, ces délégués ne faisaient pas montre d'une certaine arrogance d'hommes libres venant négocier avec des bourreaux. Elle fit les remarques suivantes à Vaste :

— Même si tu viens d'un de ces mondes-là, je te vois comme une personne d'ici. Tu m'as laissée te donner ton nom. Tu es vaste comme un matou qui erre à son gré, dont on ne connaît pas la dimension du territoire et qu'on ne sait pas où trouver quand on le cherche. Tu n'as pas beaucoup de scrupules mais, au moins, on se sent libre en te regardant. Même maintenant où ton regard est éteint, tes cheveux reluisent. Quand te réveilleras-tu, Vaste ? Les médecins d'ici ne savent plus quelle technique essayer. Ils ne comprennent pas leur échec. Où ton esprit est-il en train de vagabonder ? J'ai hâte que tu me répondes et, qui sait, que tu réagisses à mes mains qui t'étreignent par tes mains qui me serreraient.

En le voyant ainsi, engourdi depuis si longtemps, elle avait l'impression que tout allait de travers et qu'un désastre imminent permettrait peut-être au monde de rendre un son plus juste car, pour l'instant, qu'il s'agît de Rel, de Vaste ou des enfers dans leur ensemble, il n'y avait pas d'accord entre l'apparence externe et les pulsions intérieures.

Le jour de la grande réunion arriva enfin. Préparée au pire, Lame pénétra, à la suite du prince, dans la vaste salle où les délégations prenaient place. Quand ce fut au tour du prince Rel de prendre la parole, en un langage clair et qui ne laissait aucun doute, il déclara qu'il détenait le pouvoir de prendre la décision et que, désormais, les enfers ne se tiendraient plus ici.

Un murmure parcourut la salle. L'attention de Lame ne se portait pas tellement sur les délégués, qui avaient été fouillés et, de toute façon, ne voudraient pas ternir la réputation du pays qu'ils représentaient en manifestant leur colère. Lame surveilla plutôt le roi des enfers, qui prendrait sans doute assez mal le fait que son fils lui tienne tête, alors que, par-dessus le marché, son règne et sa vie touchaient à leur fin.

En effet, en un clin d'œil il bondit sur son fils avec une violence extrême.

Lame se précipita alors entre les deux. Depuis des semaines elle avait mentalement répété la scène. Elle n'avait rien à perdre, et presque rien à craindre non plus.

L'énorme poing du roi des enfers s'apprêtait à s'abattre une seconde fois sur la tête de son fils, qui avait déjà été assommé par le premier coup. Lame reçut ce second coup en pleine poitrine, accompagné d'une volée d'insultes à son égard. Malgré le choc, elle put mordre le bras qui l'avait frappée et vit son adversaire reculer, comme il l'avait déjà fait devant elle le jour où il avait tiré Vaste des enfers chauds. L'immunité dont elle jouissait n'était pas un vain mot. C'est la raison pour laquelle elle savait qu'il lui appartenait de protéger la vie du prince. Elle aurait dû prévenir le premier assaut, mais au moins elle avait empêché le second.

Elle se releva, dominant la forme prostrée du prince Rel dont le sang noircissait l'affreux linoléum du sol.

Sargad les rejoignit dans le brouhaha.

— On fiche le camp d'ici, annonça-t-il.

— Quoi ? dit Lame, encore étourdie.

— Débarrassons le plancher. On rentre chez moi.

Des gens de sa suite installèrent Rel sur une civière. De toute évidence, eux aussi avaient prévu le coup. Ayant du mal à respirer, Lame les suivit à l'extérieur, s'appuyant au bras de Sargad.

— Et Vaste ? demanda-t-elle. Il ne pourrait pas venir aussi ?

— Votre copain ?

— Personne ici ne sait le guérir !

Sargad donna des ordres. Quelques minutes plus tard, deux civières étaient montées sur le tapis roulant, en direction de la porte menant vers le monde d'où venait Sargad. Divers robots et gardes effectuèrent bien des contrôles le long du chemin, mais tous les papiers étaient en règle. Encore étourdie, désorientée, échevelée, Lame pénétra la dernière dans l'antichambre de la porte. Pendant que le puissant mécanisme de contact entre deux mondes se mettait en marche, elle avisa un téléphone public et put ainsi joindre Roxanne, qu'elle informa des événements. Elles se dirent adieu, et Lame, de nouveau la dernière, franchit l'étrange portail pour se retrouver, quelques instants après, dans un autre monde.

Un soleil l'éblouit. Tout était verdoyant. Des médecins, évidemment alertés d'avance, étaient déjà en train de s'affairer autour de Rel et de Vaste. Ils bandèrent d'ailleurs la poitrine de Lame, qui avait une côte fêlée. Dans le pavillon adjacent, elle sombra dans un mauvais sommeil, tandis que Vaste demeurait fidèlement inconscient et que Rel ne valait pas mieux.

Elle se réveilla en pleine nuit. D'un pas mal assuré, elle sortit. Il y avait des étoiles au ciel.

Dans les jours qui suivirent, la situation se précisa. Le prince Rel reprit conscience; son cas n'inspirait aucune crainte; on s'attendait à ce qu'il se rétablisse assez vite. Le crâne rasé et orné de points de suture, il remercia chaleureusement Lame de lui avoir sauvé la vie. Vaste, de son côté, allait être confié à un couple de spécialistes qui habitaient à la campagne. On conseilla à Lame de les accompagner, puisqu'elle connaissait bien Vaste. Sargad donna à Lame les plus récentes nouvelles des enfers : une pagaille y régnait, parce que l'avenir était imprécis. Il s'agirait pour Rel d'y entrer à nouveau, quand le temps serait propice, et d'y faire respecter sa loi. Mais il valait mieux ne rien brusquer pour le moment et cacher le prince héritier quelque part ici, pour qu'il puisse s'y rétablir.

Les deux spécialistes qui se chargeraient de Vaste arrivèrent. C'était un jeune couple, Claire et Tom, d'allure plutôt froide mais très professionnelle. On installa Vaste dans leur voiture. Lame dit au revoir à Sargad et à Rel, puis prit place à côté de Vaste. La voiture démarra et emprunta bientôt un chemin de terre, en route vers l'inconnu.

À LA CAMPAGNE

Après une bonne journée de voiture, ils se retrouvèrent un peu au bout du monde. C'était une lande désolée, à la terre jaune parsemée d'étangs. Ils quittèrent la voiture dans le crachin et pénétrèrent dans une grande maison humide. Claire remonta le thermostat et s'affaira à préparer les chambres avec Lame, tandis que Tom faisait la popote. Tout en dépliant les draps et les couvertures, Lame avait déjà vraiment envie de s'en aller.

Elle eut le loisir, les jours suivants, de raffiner sa perception des choses. Claire et Tom étaient des gens bien gentils mais plutôt ennuyants. Ils accordaient beaucoup d'attention à Vaste, et disposaient de toutes sortes d'appareils pour le stimuler et essayer de le faire sortir de sa stupeur. Le rôle de Lame était de contribuer à l'atmosphère qui favoriserait son réveil, par sa présence familière et affectueuse.

Elle passait plusieurs heures par jour en tête-à-tête avec lui. En général, elle le conduisait par la main dans la lande, puis ils s'asseyaient au bord d'un étang. Lame s'était débrouillée pour se procurer des vêtements à la mode du pays, bien sobres et bien ternes après ceux des enfers et, sur ses amples pantalons beiges, d'éventuelles taches de glaise paraissaient à peine. Sa tignasse soigneusement retenue par une ficelle, elle penchait la tête et, fixant tantôt les espadrilles boueuses de Vaste tantôt les eaux argentées et immobiles dominées par des arbrisseaux morts, se mettait à chanter doucement la *Complainte du mandrin*. Elle pouvait compter sur une chose: Vaste ne réagirait pas.

Elle lui peignait les cheveux et contemplait son visage. Elle aurait voulu qu'il guérisse, comme on veut qu'une voiture embourbée sorte de l'ornière, mais elle ne savait vraiment pas ce qui se passerait ensuite.

Elle songeait à ce qu'avait été leur relation. Après tout, si Vaste avait été attiré par elle quand elle était prisonnière des enfers mous, c'est qu'il était déjà bizarre. Un homme qui prend pour compagne une femme vraiment plus laide que lui, ce n'est pas qu'il perçoit en elle des qualités supérieures; c'est tout simplement qu'il a des problèmes. Pauvre Vaste: il était déjà taré dès cette époque, même s'il parvenait à le cacher. Il aurait donc pu être beaucoup plus méchant avec elle, par exemple en lui faisant garder son corps des enfers mous. Elle aurait pu être confinée à la chambre, infirme et horrible, dépendant de lui pour tout. Il aurait pu l'humilier, l'avilir pendant des années, en attendant qu'elle crève. Heureusement pour elle, il avait eu le bon goût de la faire soigner. En tout cas elle avait dû son salut à la sexualité perturbée de Vaste, et non à sa grandeur d'âme.

Mais il avait malgré tout ses mauvais instincts à assouvir, amplifiés qu'ils étaient par l'atmosphère des enfers. D'où les meurtres qu'il avait commis, sans compter ses débauches avec le roi. D'où sa punition. Quand, plus tard, le roi l'avait gracié, la raison invoquée était sans doute un prétexte. Une fois au palais, si Vaste avait repris ses sens, il aurait pu devenir l'allié du roi, par reconnaissance et parce qu'ils avaient des penchants semblables. Le prince, qui se sentait, à tort ou à raison, obligé de jouer à l'irresponsable, en aurait été davantage affaibli. Mais Vaste était demeuré inconscient, et le roi avait attaqué son propre fils, impuissant qu'il était à changer le cours du monde. Si, ensuite, Sargad avait accepté si facilement d'emmener Vaste et de lui faire donner les meilleurs soins, c'était peut-être pour des raisons politiques. Vaste était un pion, de plus en plus pion depuis qu'il était engourdi, mais c'était un pion auquel les puissants attachaient une certaine valeur.

Bon, ces réflexions ne rendaient pas plus gaie la situation actuelle de Lame, qui n'avait rien de menaçant, mais qui était bien monotone, surtout après ses années aux enfers.

Elle se rendait utile, mais elle s'ennuyait. Les mois s'écoulaient; comme elle ne savait pas conduire la voiture, elle dépendait de Claire ou de Tom pour les excursions au village, situé à presque une heure de route. Là, elle pouvait faire en sorte qu'on achète le journal. Le monde où elle se trouvait maintenant était ce qu'on appelle un relais; le style de réalité qui y avait cours n'était pas aussi fixe que sur les terres extérieures, ni aussi caricatural qu'en enfer. Tout comme en enfer, on y était au courant de l'existence d'autres mondes, et nombre des habitants gardaient même des souvenirs d'avoir vécu ailleurs. Tout comme sur une terre, il y avait un ciel avec des nuages et des étoiles, des arbres et des animaux sauvages. Dans la lande où elle habitait, la faune était rare ; Tom lui expliqua qu'ils étaient situés aux confins du monde et que les concepteurs ne s'étaient pas vraiment donné la peine de travailler les paysages d'ici. Cette zone était particulièrement propice à la rééducation de personnages tels que Vaste, parce que la réalité y avait un aspect flou et souple, capable de s'adapter aux flots intérieurs d'êtres profondément diminués.

Dans le journal, donc, Lame pouvait avoir un aperçu de ce qui se passait ailleurs : en enfer, sur la terre dont elle venait, sur celle dont Roxanne venait, sur celle dont Vaste venait, et ainsi de suite. Il y avait surtout des nouvelles de ce monde-ci, dont elle ignorait tout, et qui semblait étrangement verdoyant et harmonieux, malgré l'ennui qu'elle éprouvait à y séjourner. Le village était très joli ; les maisons jaunes à toiture rouge avaient un cachet chaleureux, les grands arbres apportaient leur élégance et leur ombre. Elle put vérifier que Sargad avait un rang important au pays, ministre des Affaires extérieures ou ce genre de chose.

Elle se promenait dans ce village de carte postale, faisait les courses avec Claire ou Tom. Quand ils repartaient pour la lande, il arrivait à Lame de se sentir soulagée de retrouver l'isolement. Les paroles de Roxanne sur la puissance de l'imagination lui semblaient prophétiques, et elle ne se privait pas de développer une mythologie personnelle, pour la guider et la nourrir dans cette période où ses contacts extérieurs n'avaient rien de palpitant.

Vaste faisait de petits progrès. Il était un peu plus autonome, éprouvant parfois de l'intérêt pour sa nourriture ou pour des choses qui se trouvaient devant lui et qui remuaient ou faisaient du bruit. Il lui arrivait même de manger sans aide ou de se lever seul. Il demandait donc plus d'attention. On fit venir deux autres personnes pour permettre à Tom et à Claire de se reposer davantage. Lame voyait l'importance qu'on accordait à son rétablissement.

— On fait les choses bien ou on ne les fait pas du tout, expliqua Claire. Dans ces limbes-ci, on a une tradition de maisons de convalescence. Toutes sortes d'êtres arrivent ici pour se faire remettre sur pied avant de se lancer à nouveau dans la mêlée qui les a abîmés. Vaste était un compagnon du prince héritier des enfers; qui sait si ses services ne seraient pas appréciés de nouveau?

— Nous sommes dans les limbes?

— En quelque sorte, oui. Peu de gens demeurent ici longtemps, sauf bien sûr les dynasties d'artistes et d'artisans qui se sont établies au centre.

— Des artistes?

— Oh, vous savez, ces gens-là méritent rarement les flammes éternelles. Par contre, la rigidité des terres externes les rebute souvent.

— C'est parce qu'il y a beaucoup d'artistes que le pays semble si joliment aménagé?

— Peut-être, oui. Nous avons une vocation médicale et artistique.

Lame avait tellement détesté l'apparence de la terre extérieure dont elle provenait, avec son esthétique d'asphalte et de béton, qu'elle s'était trouvée plus à l'aise en enfer dès qu'elle avait échappé aux tourments des enfers mous. Elle se sentait à présent décontenancée devant les subtilités architecturales et géographiques des limbes où elle accompagnait Vaste. Elle s'y adapta peu à peu. Sous ses yeux, le paysage mélancolique de son quotidien se chargea de douces harmonies. Alors que surgissaient dans sa mémoire des souvenirs vifs de lectures anciennes ou de films, dont les personnages, lentement épurés par leur séjour dans ses souvenirs, apparaissaient désormais chargés d'une perfection et d'une tendresse à son égard qui la bouleversaient, elle se laissait pareillement toucher par les nuances de la terre à peine moussue et du ciel duveteux de nuages.

Sa côte fêlée ne lui faisait plus mal, mais la violence de son combat avec le roi des enfers avait ouvert en elle une blessure étrange. Désormais, elle se sentait en train de vieillir, tout comme lui. Elle reçut une lettre de Roxanne, qui lui fit extrêmement plaisir; la bonne âme y mentionnait que le vieux roi ne s'était pas remis d'avoir été mordu par Lame et portait un pansement à la main droite. La nouvelle commença par embarrasser Lame tout en l'amusant. Elle se souvenait à peine d'avoir plongé les dents dans sa chair rougeaude, en plein feu de l'action. C'était tout de même drôle d'apprendre que sa morsure était venimeuse, surtout depuis qu'elle habitait un monde si mesuré et bienfaisant, voué aux arts et à la médecine. Elle se donna la peine d'examiner ses canines dans le miroir, au cas où elles seraient creuses comme des crocs de vipère, mais elle ne vit rien.

Puis elle se mit à réfléchir. Quelles étaient les capacités du corps qu'elle possédait? D'autre part, quel ordre ancien était en train de disparaître avec le vieux dément dont la vie serait bientôt détruite sur une roue enflammée ? Il était vieux comme les montagnes ; il avait été un exécutant appliqué des pires châtiments. Si les enfers devaient disparaître sous leur forme actuelle, quelles horreurs ne verrait-on pas apparaître dans les mondes externes, contraints peut-être de faire subir à leurs habitants et chez eux les conséquences de leurs actes ?

— Mais non, objecta Tom à qui elle expliquait sa crainte. Les terres externes sont des mondes trop rigides, trop bêtes ; personne n'y serait capable de se vouer à la justice comme on peut le faire par ici. Et puis, les conditions physiques qui y règnent rendent impossible l'administration de peines le moindrement lourdes, telles qu'en méritent quotidiennement les gens qui les habitent. Ce qui risque de se passer, si les enfers changent de place, c'est qu'une fédération de limbes prenne la relève. Une partie de notre territoire, par exemple, pourrait héberger les enfers froids.

— Vous n'avez pas mérité ça !

— Des enfers répartis dans une douzaine de petits mondes souples ne ruineraient personne. Avec la situation actuelle, on en a pour des millénaires avant de rétablir un bel écosystème sur le territoire des enfers actuels.

— Vous allez vous en mêler ?

— Évidemment ! C'est une responsabilité globale. Nous nous y préparons depuis longtemps. Même si Rel meurt, le vent est au changement. Les enfers sont voués à la justice. La justice exige qu'on restaure les lieux qui ont été dénaturés par l'application de châtiments. Imagines-tu des champs de blé et des troupeaux de bisons là où maintenant flamboient les enfers chauds ?

— Vraiment, non.

— Tu ne le verras probablement pas de ton vivant, d'ailleurs. Il faudra allumer un soleil et une lune, ce qui ne se fait pas du jour au lendemain, et peut-être démolir les voûtes de béton, pour redonner aux lieux l'apparence de braves petits limbes sympas, ouverts au vide. Les terres extérieures fourniront les fonds, comme convenu. Mais comme on n'y pige rien aux simulacres et aux réalités souples, les experts et la main-d'œuvre viendront de mondes comme celui-ci.

— Crois-tu que je pourrais faire partie de la main-d'œuvre ?

— As-tu une idée de ton espérance de vie ?

— Non, justement.

Ils décidèrent d'examiner Lame, pour avoir une idée du genre de corps qu'elle avait. Non, elle n'avait rien de venimeux ; par contre, la marque des juges du crépuscule était en fait un implant, qui pouvait susciter de fortes allergies chez des êtres qui y étaient sensibles. Et de toute façon le roi des enfers était une vieille chose, qui attrapait n'importe quoi.

— Je croyais qu'on m'avait tatoué un signe magique, dit Lame, déçue en regardant la marque sur sa main.

— En enfer, oui, sans doute. Ici, tout se manifeste de façon plus rationnelle.

— C'est peut-être pourquoi je me sens à la fois si dépaysée et si calme.

— Sans doute. Mais tu réagis bien.

— J'ai été secrétaire des enfers mous.

— Et regarde les résultats : quand tu es sortie de là et qu'on t'a soignée, tu avais un vrai corps infernal. Tes tests sont très faciles à interpréter. Tu es une vraie dame des enfers.

— Ce qui veut dire ?

— Que ta santé, ta vitalité, pourraient te permettre de vivre encore des siècles. Tu n'es pas à l'abri des accidents et tu peux te sentir vieillir, mais tu en as sans doute pour aussi longtemps que Rel à avoir une allure juvénile.

Cette nouvelle laissa Lame plutôt indifférente. Bon, elle serait l'éternelle jeune première.

— Et Vaste ? demanda-t-elle.

— Nous l'avons examiné dès son arrivée, bien sûr. Un brûlé comme lui, ça ne dure pas aussi longtemps. Faire la saucisse, ça use.

Elle le regarda. Malgré les traitements, il gardait une peau toute cicatrisée. À ce moment, il leva les yeux vers elle. Elle en eut un frisson.

— On dirait qu'il me reconnaît, s'exclama-t-elle.

— Il est en bonne voie de guérison, c'est certain.

Elle continua à faire des promenades avec lui. Le temps s'adoucissait. Un jour, elle aperçut les pointes de nouveaux joncs verdoyants sur l'étang. Elle se souvint que ce paysage des abords du monde vibrait en quelque sorte au diapason de Vaste. Ce signe important de renouveau devait indiquer des progrès dans sa guérison.

Quelques jours plus tard, les oiseaux firent leur arrivée.

Alors Vaste redevint conscient. Un beau matin il sembla se réveiller, sortir de sa torpeur, et il dit deux ou trois mots.

Des yeux se mouillèrent.

En quelques jours, Vaste était redevenu lui-même, lucide, et amoureux. Mais pas de Lame. Il tomba amoureux de Claire.

— Ça a une valeur thérapeutique, commenta Tom.

— Vous le laissez faire ? répliqua Lame.

— Je suis raisonnable. Et puis, Claire m'aime toujours.

Lame n'avait d'autre choix que de faire ses promenades seule, désormais. Elle s'enlaidit un peu et perdit sa joie de vivre, mais qu'y pouvait-elle ?

Elle se demandait si elle avait été exploitée par la situation ou si elle avait été tout simplement héroïque. La différence entre l'héroïsme et l'exploitation dépendait peut-être du regard des autres. Et puis non : elle savait qu'elle avait bien fait. S'il ne voulait rien savoir d'elle, tant pis, mais elle avait tout de même fait ce qu'il fallait.

— Je voudrais m'en aller, dit-elle un jour à Tom, qui était devenu son confident.

— On t'a fait venir ici pour que tu aides Vaste, mais il n'a plus besoin de toi, c'est ça ?

— Oui.

— Peutêtre qu'il aura de nouveau besoin de toi.

— Eh bien, vous me ferez revenir.

— Je ne crois pas que ce soit possible.

— Alors il s'en passera.

— Non, ce que je veux dire, c'est que je pense qu'il t'est impossible de partir d'ici.

— Quoi ?

— Tu n'as pas vraiment de statut parmi nous et en plus tu ne sais pas faire grand-chose.

— Je pourrais retourner en enfer et travailler avec Roxanne.

— Ça coûte cher, voyager d'un monde à l'autre. Ici, il te sera absolument impossible d'économiser pour ça. Et qui aurait envie de te payer le passage ? En plus, tu as quitté l'enfer dans de drôles de circonstances. À ta place, je n'y remettrais pas les pieds sans escorte.

— Je veux partir d'ici ! s'écria Lame, les larmes aux yeux.

— Désire tant que tu veux, de là à ce que ça se réalise !

— C'est tout de même un comble ! J'étais motivée par le désir d'aider Vaste et le prince, et voilà ma récompense !

— C'est vrai, l'enfer, d'où tu viens, est reconnu comme un lieu où règne la justice. Ici, que veux-tu, on fonctionne plutôt comme dans les mondes extérieurs. Tu n'as aucun contact utile, ma pauvre Lame. Depuis que tu es ici, ni le prince ni Sargad n'ont pris de tes nouvelles.

— Tout le monde s'en fiche que je sois heureuse ou non !

— En effet. Tu es comme tout le monde : on serait mieux sans toi. Tâche au moins de ne pas te montrer encombrante, ce sera plus confortable. En particulier, si tu as l'air malheureuse, si tu réclames de l'attention, alors tu prends plus de place que ce qu'on a envie de te donner. Tu n'intéresses personne, c'est clair. Ferme-la et souris.

— D'où sors-tu, Tom ? On pourrait t'utiliser comme gardien dans les enfers froids !

Tom, Lame le savait bien, n'était pas aussi méchant qu'il en avait l'air. Il se renseigna davantage sur les droits de Lame, sur les possibilités qui s'offraient à elle dans ce monde-ci, et essaya de contacter Sargad pour le mettre au courant. Chaque jour elle assistait au spectacle de son ancien amant en train de faire comme si elle n'existait pas et d'en bécoter une autre : c'était cruel. De plus, Vaste ne voulait offrir ni gratitude ni excuses. Selon lui, il ne devait rien à Lame, qui avait agi de son propre chef. En plus, il ne gardait aucun souvenir de ce qu'elle avait fait pour lui. Il aurait aimé, lui aussi, qu'elle disparaisse de sa vue.

Ce souhait mutuel se réalisa finalement assez vite. On trouva à Lame un emploi de cuisinière pour un couple d'artistes âgés, dans un village. Tom alla reconduire Lame à l'autobus. Le trajet fut long et la plongea dans l'émerveillement : elle n'avait jamais vu de contrée aussi jolie.

Elle quitta l'autobus dans un village de style Franconie du XVIe siècle, comme elle devait l'apprendre. Des maisons de bois à toit d'ardoise, de grands arbres verdoyants, des étangs proprets où canards et cygnes s'ébattaient : elle n'avait jamais rien vu de tel. Elle fut accueillie dans une antique demeure par un couple de vieillards charmants et passa la soirée à leur conter ses vies. Elle s'endormit finalement dans des draps de coton recouverts d'une couverture de laine, aussi dépaysée que ravie.

Lame vécut longtemps en ce lieu intemporel. Son corps se creusa et se durcit, sa beauté flamboyante fit place à quelque chose de plus poli. Elle lut de multiples traités de philosophie et de religion, qui garnissaient quelques pans de mur. Elle était sans amour, et paisible. Elle faisait la cuisine et les courses, s'occupait du jardin, séchait les herbes et ramassait les œufs. Elle avait l'impression de revenir de loin, de se réveiller enfin chez elle. Le village abritait de nombreux artisans et artistes et, dans ses temps libres, elle apprit à dessiner, dans le style subtil et réaliste qui était à la mode. Son existence, comme celle de tous ceux qui l'entouraient, était empreinte de dignité, de sagesse et d'élégance.

Monsieur Franz et Madame Isabelle, le couple pour lequel elle travaillait, étaient graveurs. Leur maison était pleine de leurs œuvres, de celles de leurs maîtres et de leurs amis. Leurs enfants aussi étaient artistes, mais dans le domaine de la musique. Quand ils venaient leur rendre visite, Lame pouvait se joindre un peu aux festivités, et cela accentuait son plaisir de faire partie d'un clan, de se sentir tout à coup des attaches dans ces limbes historiques où le maintien des traditions et la conscience de ses appartenances faisaient partie du quotidien. Elle était servante en un monde où cela n'avait rien de honteux. Elle s'en trouvait dotée d'une sorte de famille élargie dans laquelle elle se sentait à l'aise et respectée.

Elle correspondait avec Roxanne et avec Tom, et entendait parler du prince et de Sargad. Elle n'en désirait pas plus. Madame Isabelle, à qui elle avait conté tous les détails de sa biographie, lui fit remarquer un jour qu'elle trouvait sans doute dans son bonheur actuel la récompense de son dévouement pour Vaste, la justice étant rarement accomplie par soi-même, par les gens qu'on souhaite, ou de la manière qu'on imagine. Heureuse, Lame l'était, avec son cœur et avec sa raison. Monsieur Franz avait son atelier de gravure au rez-de-chaussée ; plutôt taciturne, il aimait représenter des scènes pleines d'équilibre, des paysages qui, pour la sensibilité de Lame, contribuaient à remettre en perspective les champs de feu, les boues de démence et les labyrinthes d'ennui d'où elle provenait.

Un jour, cependant, Sargad arriva au village, y entrant à cheval avec sa suite empanachée. Il était splendide à voir, et Lame lui servit du vin, dans la grande salle fraîche où il s'entretint avec Monsieur Franz. Les deux hommes lui demandèrent ensuite si elle accepterait de repartir bientôt en enfer avec le prince Rel et avec Vaste, car il était temps pour le prince de saisir le pouvoir. Pour toute réponse, elle se mit à pleurer, car il lui semblait que la calme ordonnance de son monde était violée par un vent de guerre et d'effroi dont elle n'avait plus l'habitude.

Les deux hommes se regardèrent et Lame, s'étant un peu calmée, les regarda aussi : le guerrier Sargad, avec sa magnifique barbe, sa cuirasse vernie et ses yeux sans frayeur, et le vieil artiste Franz, dont les cheveux gris retombaient en mèches encore belles sur le front et la nuque. Avec ses mains noueuses et son regard doux, il n'avait rien d'un bourreau, et pourtant il venait de lui demander de se joindre à Vaste l'ingrat et à Rel l'énigmatique pour affronter toute la démence infernale.

— Je crois que je vais lui montrer, dit Franz à Sargad.

Puis, s'adressant à Lame encore effrayée :

— Ta décision t'appartient et tu nous la donneras demain. Viens, je voudrais que tu voies une de mes œuvres.

Il la prit par la main et la mena devant une porte, au rez-de-chaussée de la maison, qu'elle n'avait jamais vue ouverte. Cela ne l'avait pas intriguée, parce qu'il lui semblait naturel qu'une demeure de cette taille et de cette antiquité ne lui soit pas entièrement accessible. Le vieillard prit une clé de fer dans la poche de sa veste, la fit tourner dans la serrure, et ils descendirent tous deux un large escalier de pierre, éclairé à l'électricité, qui menait à une crypte bien dallée. Au milieu, sur une belle table inclinée, un grand panneau d'ivoire avait été merveilleusement gravé et sculpté en bas-relief. Le travail venait tout juste d'être terminé et les outils étaient encore en place.

À la lumière artificielle et naturelle – provenant de soupiraux – Lame, extrêmement intriguée, vit une tour noire, pas très haute mais très belle, qui occupait le centre avec, tout autour, une foule de personnages qui semblaient tous bien s'entendre. Certains jouaient de la musique, d'autres conversaient, plusieurs se tenaient par le bras ou par la main, plusieurs aussi étaient seuls mais ne semblaient pas isolés ou rejetés. Tous étaient en harmonie, calmes et contents. Il y avait des arbres et des fleurs, des animaux et de bonnes choses à manger. Lame avait l'impression d'observer une sorte de fête sans excès et pleine d'intelligence, se déroulant à l'ombre bienveillante de cette belle tour sombre qui attirait le regard. Partout ailleurs la teinte naturelle de l'ivoire était prépondérante, avec les personnages et les arbres rehaussés d'un peu de noir ou de bistre.

D'après l'agencement du tableau, il semblait que la sérénité de la foule, de chaque personnage même, était protégée et causée par la forte présence de la tour. En y regardant de plus près, comme une élève en dessin qui analyse le travail d'un maître, Lame eut la surprise de reconnaître l'un des profils: c'était Tom. Plus loin, elle vit Vaste, puis Roxanne, Rel, Sargad, ses copains les hères d'Arxann, presque méconnaissables parce que représentés sous forme pleinement humaine, etc. Elle commença à se douter que probablement aucun des nombreux personnages de la composition ne lui était étranger. Elle découvrit même Franz et son épouse dans un coin, admirant l'ensemble.

Pour les modèles, Roxanne avait fort bien pu envoyer à Franz des photos d'elle-même et de ses compagnons infernaux; Tom avait pu faire de même. Mais pourquoi tout ce déploiement?

— J'y travaille depuis un an, dit Franz. Je voulais te faire une surprise.

Lame le remercia un peu distraitement. Elle scrutait l'œuvre, se demandant avec un certain narcissisme si Franz l'avait représentée, elle aussi. Où pouvait-elle se trouver dans ce monde magnifique et joyeux, où toutes les querelles semblaient pacifiées?

Abandonnant cette recherche, qui semblait vouée à l'échec, Lame porta de nouveau son attention sur la tour, puissamment hachurée. Des fenêtres ogivales s'y dessinaient, et quelques personnages étaient grimpés au sommet, contemplant le point de vue. De curieuses gargouilles découpaient leur silhouette, allégeant la structure, qui semblait se ficher dans le sol avec une énergie empreinte de résolution.

Elle remarqua petit à petit qu'un visage semblait esquissé dans la pierre, exprimant la même fermeté sereine que cette tour, qui semblait mystérieusement attirer et fixer en place la sagesse et la joie de vivre de toute une population. Elle constata que ce visage était le sien.

— C'est ma manière de te dire que tu devrais partir, commenta Franz. On a besoin de toi, là-bas. Les autres s'affaireront. Toi, tu seras comme cette tour. Sans elle, tout s'agite, tout s'éparpille. Elle est simplement là, et grâce à elle chacun trouve sa place et son plaisir.

— Je ne pourrai pas revenir ici ?

— Ici, c'est un mirage comme tant d'autres. Si tu reviens, peut-être que nous serons morts, Isabelle et moi. Les choses ne seront plus jamais comme maintenant. Et puis…

— Et puis ?

— Ce monde que tu aimes, le village, le jardin, la maison et nous deux, eh bien, il réside complètement dans ton cœur. Nul ne peut te l'enlever.

Lame se moucha et demanda ensuite :

— Où ira cette œuvre ?

— Dans un musée. Elle est déjà vendue. Des milliers de personnes pourront la voir.

— Et quel en est le titre ?

Franz lui indiqua une petite plaque de laiton posée à l'envers à côté des burins. Elle la retourna pour lire :

LA TOUR DE LAME

Le retour

Lame eut quelques jours pour faire ses adieux au pays qu'elle avait aimé, à ses arbres centenaires, à ses demeures vénérables, et pour se préparer à revenir aux enfers, royaume plusieurs fois millénaire de la souffrance, de la haine et des passions incontrôlables.

— Je n'y serai plus la même, affirma-t-elle aux canards de l'étang, qui se contentèrent de manger le grain qu'elle leur offrait.

À l'aube, vêtue d'une longue robe de bure à la mode du pays qu'elle quittait, elle embrassa en pleurs Dame Isabelle et Maître Franz, avant de monter sur un cheval pommelé pour suivre Sargad. Ils se rendirent d'abord chez Tom et Claire, pour que Vaste se joigne à eux. La lande des abords du monde était toujours étrange, semblant à moitié créée, à la fois imprécise et joyeuse comme le sourire d'un nouveau-né. Lame sentit son cœur se serrer en s'approchant : elle n'avait jamais été aussi triste qu'en ces lieux où Vaste l'avait rejetée. De fait, elle détourna le regard quand Claire et Vaste s'embrassèrent tendrement avant de se quitter, et regarda

Vaste le moins possible au cours du voyage. Tout près du lieu de passage entre les mondes, parmi les hauts rochers noirs et l'herbe verte, le prince Rel les rejoignit. Lui non plus, elle n'avait pas envie de le voir. De loin, il avait l'air trop sûr de lui. Elle le servirait puisqu'il avait besoin d'appui, mais elle aurait préféré continuer à nourrir les canards.

Ils passèrent leur dernière nuit au pays de Sargad dans le poste de garde aux abords du passage. Le prince, ayant bu un peu de vin, devint bavard, et cela tapait vraiment sur les nerfs de Lame, qui n'avait rien à faire de ses récits de voyage dans les merveilleux mondes qu'il avait visités au cours des derniers mois. Elle sortit. Une fois seule dans le noir, elle se mit à pleurer. Personne ne vint la consoler, et c'était mieux comme cela. Ici, dans la frange de l'Univers, la nuit était vide, comme quand elle habitait en ville, très longtemps auparavant. Elle rentra, au bout d'un certain temps, pour dormir.

Le lendemain matin, cependant, tandis qu'ils déjeunaient, elle put se rendre compte que son attitude était causée par la contrariété qu'elle éprouvait d'avoir à quitter le petit village qu'elle avait tant chéri et non par le caractère difficile de ses compagnons. En effet, avec le jour nouveau, elle se surprit à regarder avec affection le visage cousu de cicatrices de Vaste et celui, riche de sous-entendus, du prince. Chers vieux compagnons! Ils se partagèrent à eux trois une cigarette, donnèrent l'accolade à Sargad, puis, prenant leur bagage, s'engagèrent sur le chemin des damnés.

Vaguement désorientés, ils se retrouvèrent un peu plus tard à l'entrée des enfers. La lumière crépusculaire et violette fit sourire Lame de plaisir. Presque sans y penser, elle dénoua ses cheveux, se secoua la tête. Le prince ceignit son épée et en donna une à Vaste. Un vent à odeur de soufre s'était levé, balayant des brumes dans la plaine au loin. Ils étaient seuls.

Ils n'avaient pas fait trois pas qu'ils furent arrêtés par un fantôme, en tout cas par une présence indistincte et agitée. Lame finit par identifier un émissaire des juges du crépuscule. Vaste, lui, avait reconnu du premier coup de quoi il s'agissait et demeurait figé, tremblant, face à ce messager du destin semblable à ceux qui l'avaient conduit aux enfers chauds longtemps avant. Encore une fois l'être, qui semblait fait de vitre vivante, semblait lui en vouloir.

— Qu'y a-t-il ? lui demanda le prince Rel.

La créature répliqua d'une voix flûtée :

— J'ai un mandat d'arrêt. Vaste est condamné aux enfers chauds. Il a commis un crime.

— Quel crime ? demanda Lame. Il en sort, des enfers chauds !

Mais elle savait bien que les juges ne se mêlaient pas dans leurs papiers. Rien ne servait de discuter. L'émissaire, d'ailleurs, ne lui accorda aucune attention, parce que les fautes des uns ne concernent pas les autres. Déjà, il avait sorti ses menottes et ses chaînes, qui en un instant immobilisèrent Vaste. Par contre, sans perdre son sang-froid, le prince fit quelques signes secrets devant l'émissaire, qui s'inclina.

Quelques heures plus tard, tout le monde se retrouvait devant les juges, dans la caverne sans temps. Étrangement, Lame ne se sentait nullement dépaysée dans ce lieu monumental et gris où elle avait déjà tenu tête aux implacables juges. Cette fois-ci, les présences indistinctes et extrêmement dignes considérèrent longuement les nouveaux arrivants avant que le prince ne se décide à parler :

— Je rentre au pays pour que les enfers déménagent, annonça-t-il. J'ai besoin de ces compagnons pour que le destin s'accomplisse. J'ignore quel crime Vaste a commis, mais sa présence m'est indispensable. Dans le passé, vous lui aviez déjà accordé un sursis pour ses crimes et, plus tard, vous avez accepté qu'il soit gracié par mon père. De nouveau j'implore votre clémence. Peut-être pourrions-nous discuter de son cas. Accepteriez-vous, par exemple, de m'informer de ce qu'il a fait ? Personne ne m'a dit de mal de lui depuis qu'il a quitté les enfers chauds. De quoi s'agit-il ?

— C'est un ingrat, répondit l'un des juges. Son séjour dans les enfers chauds ne lui a rien appris. Il doit y retourner.

— En quoi se montra-t-il ingrat ?

— Lame s'est fendue en quatre pour le tirer de là et il ne l'a jamais remerciée.

— Cette bonne femme m'a couru après pour que je lui fasse les yeux doux et je n'en ai rien à foutre, grogna Vaste, bien enchaîné.

— Vous voyez, déclara le juge.

— Il n'y a pas de quoi fouetter un chat si je l'ai envoyée promener ! continua Vaste. Pour qui vous prenez-vous ? Si elle s'est donné tant de mal, c'est qu'elle a des problèmes psychologiques, si vous voyez ce que je veux dire. Elle est à plaindre, mais je suis innocent.

— Les gens comprennent rarement pourquoi ils se retrouvent ici, dit le juge sans s'énerver. Ils s'y retrouvent quand même. Tant pis pour eux. Ce n'est pas Lame qui vous accuse, c'est nous. Respectez nos motifs.

— Bon, dit le prince Rel, je demeure mal pris. Je pourrais vous citer des prophéties, vous décrire des présages qui indiquent que j'ai besoin de ces deux compagnons-ci, Lame et Vaste, pour vaincre. Je ne sais pas en quoi Vaste me sera utile, mais il le sera. J'aimerais donc l'avoir à mes côtés. Et de préférence sans sentence retardée comme l'autre fois, où vous l'avez emmené sitôt son travail fini. Pouvons-nous faire quelque chose ?

— Peut-être, dit un juge, qui avait une présence féminine.

Elle s'avança, et on put voir qu'elle avait des serres d'oiseau de proie. Vaste recula, visiblement terrorisé.

— Nous pourrions consulter Lame, dit la juge, puisqu'elle est la victime.

Lame en fut complètement décontenancée. La juge s'adressa à elle d'un air narquois :

— Regarde ce pauvre type, lui dit-elle en indiquant Vaste d'une de ses griffes effilées. Veux-tu te venger ?

Lame, méfiante, répondit que non.

— Et d'ailleurs, ajouta-t-elle, j'ai déjà reçu la récompense de mes actes : j'ai pu vivre dans un beau village dont je garderai toujours le souvenir.

— Tu as traîné dans une trappe à touristes habillée en bonne sœur, commenta Vaste, tandis que moi, je m'envoyais en l'air. Je veux rentrer chez

Claire. Vos niaiseries m'emmerdent. Je ne suis pas obligé d'être ici.

— Tu parles ! dit la juge.

Elle se tourna vers Lame et la regarda fixement. Lame se sentit soudain incapable de mentir. Ses sentiments les plus profonds à l'égard de Vaste devenaient impossibles à restreindre ou à taire.

— Que la justice de la victime s'exprime ! ordonna la juge.

Enivrée par l'émotion, Lame se tourna vers Vaste, le dévisagea.

— Jamais je n'oublierai quand nous avons fait l'amour en haut des enfers mous, commença-t-elle. Ça, c'était vivre ! Ensuite, c'était moins drôle, mais ça, c'était extra ! Je voudrais tellement le revivre ! Je voudrais tellement que tu m'aimes à nouveau !

— Compte là-dessus, dit Vaste.

— Si tu m'aimais à nouveau, peut-être que tu n'irais pas rôtir.

— Écoute, ma chouette, ravi de t'avoir fait jouir, mais ça ne se commande pas, ces trucs-là. Tu n'es pas mon type. Je ne m'en étais pas encore rendu compte ce jour-là, c'est tout.

— Alors, dit Lame en faisant le tour de Vaste et en serrant les dents, mon chou, tu ne pourrais pas te trouver un remplaçant ? D'accord, adorable, tu ne veux plus de moi, mais tu ne pourrais pas me trouver quelqu'un d'autre ? Un gars qui m'aime, lui, et que j'aime, pour longtemps ? On formerait un vrai couple, qui s'aime, qui travaille dans le même sens. Pas une caricature. Une vraie histoire d'amour, qui fait plaisir à tout le monde. C'est ce que j'avais senti quand tu m'embrassais, que tu me faisais échapper aux enfers mous, j'avais senti un idéal naître, et je croyais que tu le partageais. Ce que j'ai saisi à ce moment-là possède la sincérité et la dignité des grandes inspirations. Si tu ne veux pas en faire partie, c'est ton affaire. Mais trouve celui qui doit te remplacer ! Il doit bien exister quelque part, s'il y a une justice ! Si tu le trouves, tu t'innocentes.

Abruptement, elle s'arrêta, s'éloigna un peu de Vaste, tout étonnée de ce qu'elle avait dit et du ton qu'elle avait employé.

— Elle a parlé, dit la juge. Nous te donnons cent jours, Vaste. Si tu n'as pas trouvé de compagnon qui plaise à Lame au bout de ce temps-là, tu grilles. Autrement, tu es libre.

L'émissaire délia Vaste et, peut-être par dépit, lui donna une bourrade qui le mit à genoux. Quelques minutes plus tard, les trois compagnons étaient dehors, ayant plutôt mal au cœur parce qu'ils avaient pénétré dans ce monde intermédiaire avec un bon déjeuner dans l'estomac. Ils finirent par se ressaisir.

— Alors, Rel, qu'est-ce qu'on fait ? demanda Vaste.

— Appelle-moi prince, répondit Rel.

— Prince, ou princesse ? dit Vaste, qui était vraiment d'humeur insolente.

— Je décide comment tu m'appelles. Autrement, on retourne chez le juge.

Il n'avait pas levé le ton. Lame regarda les deux hommes – le prince avait vraiment l'air masculin, ces jours-ci – et se demanda pour qui elle prendrait parti, pour l'orgueilleux ou pour le jaloux. Puis elle se rappela le bas-relief d'ivoire de Franz et demeura silencieuse, haussant à peine les épaules. Ils se calmèrent.

— On rentre à la capitale, déclara finalement Rel.

Ils prirent le tapis roulant.

Tout était silencieux autour d'eux. Pourtant Lame décelait des hordes de créatures dans la pénombre environnante. Certains étaient des damnés attendant leur sentence, ombres en quête du corps dans lequel ils pourraient endurer des souffrances aussi atroces qu'ininterrompues, d'autres des hères et des robots sans emploi, parfois isolés, parfois regroupés par bandes, qui saluaient profondément le prince à son passage. Le seul bruit était le chuintement du tapis contre ses rouleaux.

Assise sur les talons, Lame décida de s'adresser au prince:

— Pourquoi ce silence et pourquoi ces saluts?

Ils se mirent à traverser des bancs de brume. Les fantômes et les armées en formation se devinaient et se dévoilaient entre les écharpes de brouillard.

— Nous nous sommes reposés tous les trois aux lieux qui nous convenaient, dit le prince. Toi, Lame, dont le séjour aux enfers avait commencé en un lieu abject, où ton corps était en proie à des désirs incontrôlables, tu as pu séjourner dans un village où resplendissent le savoir, l'intelligence et l'héritage des sagesses les plus anciennes. Ton corps calmé, discret, n'éprouvant ni ne suscitant aucune passion gênante, tes facultés intellectuelles et créatrices ont pu s'exercer et se développer magnifiquement. Toi, Vaste, ancien mercenaire d'une terre où tout se dégrade, abîmé par des années de tourments dans les enfers chauds, tu as pu participer à la régénérescence des abords d'un monde tout en vivant une passion raffinée pour Claire. Quant à moi, qui suis à l'orée d'un règne probablement millénaire, une fois soigné et guéri j'ai visité des mondes avec lesquels j'entretiendrai des relations diplomatiques, je suis revenu ici à quelques reprises pour rassembler mes gens, j'ai médité sur mon rôle et mon identité. En particulier, bien que mon corps soit à la fois celui d'un homme et d'une femme, capable de produire la semence autant que de porter un enfant et de lui donner naissance, j'ai vu la nécessité d'un choix dans mon habillement et mon style général. J'ai décidé que je privilégierais l'aspect masculin de mon être, tant pour des raisons de conventions sociales que par attrait personnel.

Lame regarda le prince. Effectivement, il avait plus d'assurance et de force qu'auparavant. En fait il ressemblait davantage à son père. Il était à la fois moins effrayant que son père et plus impressionnant. Moins colossal et plus lucide, moins rouge et plus sombre, moins direct et plus magique. Il sourit.

— J'ai un talent pour la magie, admit-il, mais pour le moment j'ai à rassembler des armées. Ce n'est pas seulement une passation de pouvoir qui se prépare, c'est aussi un changement d'univers. Il faut des gardes, des forces de sécurité, pour minimiser les dommages. Les juges le savent. Bien des sentences demeurent en suspens – et ici il indiqua d'un geste les fantômes – et seront appliquées ailleurs, on ne sait pas très bien où. Il y aura peut-être des amnisties, pour simplifier certains cas. Je doute cependant que les juges aient l'intention d'amnistier Vaste, puisqu'ils lui ont sauté dessus dès notre arrivée.

Lame regarda le profil de Vaste, qui contemplait la plaine. Sur son visage de grand brûlé, l'expression était devenue sévère et mélancolique.

— J'ai appris à parler, déclara Vaste. Grâce à Claire. Mais mon vrai pays est ici. Ici, c'est comme mon corps : en train de se défaire et de se guérir, le printemps et l'automne en même temps. L'enfer se désagrège et sombre dans le chaos ; ce qui s'annonce est plein de promesses mais encore sans structure. La vision est tantôt claire, tantôt embrouillée. La main du pouvoir est en train de pourrir, mais ça nourrit des larves, qui un jour s'envoleront, libres.

Il ouvrit la main gauche, et Lame vit qu'à la place de la paume on distinguait les os, au milieu d'une chair noircie et dure. Il regarda Lame, et elle eut l'impression qu'il comprenait trop de choses pour être normal.

— Claire m'a appris la poésie, commenta-t-il. Mais rien n'a pu me guérir la main. À présent je suis sans doute condamné de nouveau. À cause de toi. Tu es trop sincère : tu as vraiment souffert à cause de moi. Je ne m'y attendais pas. Je croyais qu'en me choisissant une compagne aux enfers, j'aurais une tricheuse, méritant tous les coups, ne se gênant pas pour les rendre. Je pensais que tu te trouverais un autre type dès que j'en aurais assez. Hélas pour moi, tu étais loyale. Ce qui me tombe dessus, ce n'est pas la vengeance d'une petite salope, mais la grosse justice.

Le brouillard s'écarta et ils aperçurent au loin la capitale, scintillante des premières lumières du soir. De longues acclamations, venant de foules indistinctes, spectrales ou incarnées, les accompagnaient. Le prince se redressa, se leva, cheveux au vent, épée au côté, regardant droit devant. Un peu derrière,

Lame à sa gauche et Vaste à sa droite se tinrent comme lui. La ville qui s'approchait avait la forme d'une main squelettique. De l'autre côté de la colline du palais, illuminée avant le dernier flamboiement, la grande roue des changements de règne était prête.

Ils montèrent vers le palais en carrosse. Tout comme jadis à son arrivée, le prince devint plus nerveux. Lame lui saisit la main et Vaste lui donna l'accolade.

Contrairement à la campagne, la ville semblait vidée. Les partisans du prince ne s'y manifestaient pas, parce que les derniers soubresauts du pouvoir du roi s'y faisaient encore sentir. Aucun vent de renouveau, l'atmosphère était lourde et comme abandonnée. Personne ne les accueillit dans la cour du palais, et ils montèrent tous trois aux appartements du prince, n'osant se séparer. Là, on finit par leur souhaiter la bienvenue. Le prince demanda à Vaste et à Lame de demeurer près de lui, et on installa leurs lits dans la même chambre.

Les jours suivants, leur vie se continua dans une certaine inaction. Le prince, avec Lame pour escorte, alla quelquefois rendre visite à ses parents, qui ne quittaient plus leur chambre. Lame s'asseyait sur une chaise à l'entrée, visible mais pas dans le chemin, simplement pour avertir le roi de ne rien tenter contre son fils. Elle écoutait des bribes de conversation anodine. Les parents du prince avaient vraiment l'air très âgés. Sa mère ne parlait plus depuis longtemps, mais elle avait l'air de le reconnaître et d'être contente de le voir. Son père avait l'air de méditer encore un mauvais coup, mais de se contenir. Pour autant que Lame pût s'en rendre compte, ces visites étaient plus joyeuses que mélancoliques. Ils avaient partagé de très longs moments ; ils se faisaient des adieux bien sentis.

D'autre part Rel sortait souvent du palais, sinon de la ville, pour rencontrer tous ceux qui allaient bientôt l'aider et organiser autant que possible ce qui se passerait après son accession au pouvoir. Vaste, qui lui servait en général de garde du corps, dut se bander la main, qui commençait à sentir. Il ne voulait pas entendre parler d'aller voir le vieux roi : cela lui rappelait sans doute des souvenirs qu'il préférait oublier. Dans ses temps libres il essaya, sans beaucoup d'enthousiasme, de trouver un compagnon à Lame. Il téléphona à Claire, qui lui donna des trucs d'entremetteuse et aussi des recettes d'onguents pour se soigner. Lame descendit dans le quartier où elle avait habité avec Roxanne, mais les lieux étaient déserts, la tente de la bonne âme avait été démontée.

Lame refusa une demi-douzaine de prétendants, plus incongrus les uns que les autres, que Vaste lui présentait. Vaste se découragea :

— Je ne t'aime plus, dit-il à Lame. Tu m'indifères complètement. Comment convaincre un autre que tu en vaux la peine, quand je ne suis pas de cet avis ?

— Tu auras ce que tu mérites, répondit Lame.

Dans le fond, elle voulait un amoureux, mais en surface elle s'en fichait.

— Force-toi un peu, dit le prince à Vaste. Si tu t'en vas rôtir, je serai mal pris.

— Mais qu'est-ce que vous attendez pour la passation des pouvoirs ?

— Le vent et les étoiles.

— Sans blague !

Le prince ne répondit rien, mais décocha à Vaste un de ses regards les plus mystérieux.

À Lame, qui souvent contemplait le paysage de sa haute fenêtre, il semblait que la ville était graduellement encerclée par les êtres qui avaient salué leur retour. Au loin, les enfers chauds semblaient moins rougeoyants, moins enfumés. La transition était déjà amorcée.

L'échéance des cent jours tirait à sa fin. Une fois ou deux, des émissaires des juges s'étaient montrés à Vaste, pour le terroriser par leur présence glaciale. Il parcourait ville et campagne, apostrophant des inconnus, leur vantant les charmes de Lame. Mais il était certain de son échec.

Un jour qu'il rentrait au palais la tête basse, un éclat de rire du prince Rel le surprit. Lame, qui était assise près du prince dans la cour d'entrée, fut attristée de voir à quel point Vaste était abattu. Le rire du prince le décourageait encore plus.

— Vaste, déclara le prince, tu es vraiment bête.

— Je n'en doute pas, prince. Et j'en suis bien puni.

Lame, trouvant que le prince était d'humeur méchante, se mit à songer. Avec les enfers qui déménageaient, si Vaste était damné de nouveau, elle ne pourrait plus prendre de tapis roulant pour lui offrir un concert. Il était en train d'échouer, bientôt elle ne le verrait plus. Plus jamais. Une larme roula sur sa joue. Elle ne se sentait plus amoureuse, mais elle était touchée.

— Tu cherches un compagnon pour Lame, reprit le prince.

— C'est bien ça, dit Vaste pour demeurer poli.

— Tu n'as vraiment pas beaucoup cherché.

Vaste soupira et fixa les pavés de la cour. Il avait l'air malade. Sa main, sans doute. Lame se moucha. Vaste la regarda, étonné qu'elle ait pleuré pour lui. Elle lui sourit un peu, comme pour s'excuser. Mais oui, elle avait des problèmes psychologiques.

— Il y a des gens qui ne sont pas débrouillards, commenta le prince.

Vaste lui jeta un regard furibond.

Rel se leva et saisit Vaste par l'oreille. Vaste écarquilla les yeux.

— Tu ne m'as pas demandé, à moi, lui dit-il.

Lame sursauta.

— Vous vous payez sa tête, s'exclama-t-elle.

Dans la cour, tout fut immobile pour un moment.

Puis Vaste se redressa. Il venait de comprendre :

— Prince Rel, dit-il, voudriez-vous prendre Lame pour compagne ?

— Certainement.

— Dites que c'est une blague, dit Lame.

— Pourquoi ?

— Je ne suis pas une princesse.

— Qu'est-ce que je m'en fiche ! Les juges ont parlé de te trouver un compagnon. Ils n'ont pas précisé qu'ils ne voulaient pas de prince.

— Dites que vous faites ça pour garder Vaste auprès de vous.

— Jamais de la vie ! Lame, j'ai déjà couché avec toi, je sais comment tu goûtes. Je pourrais m'en accommoder. Et toi, qu'est-ce que tu penses de moi ?

— Mais votre peuple ne voudra jamais. Ce serait une mésalliance.

— C'est le chaos ici, Lame. Il n'y a pas de mésalliance. Il y a une fille des enfers, avec un corps presque éternel, qui pourrait s'unir avec un gars des enfers, qui pourrait vivre aussi longtemps. Personne n'ira voir dans notre chambre à coucher si nous y sommes: quand on s'organise pour mille ans, on prend ses aises. Mais les juges, eux, n'auront rien à nous reprocher. Si on leur dit qu'on est ensemble, on est ensemble, c'est tout.

— Vous voulez tromper les juges?

— On ne trompe pas les juges. Depuis longtemps, je te voulais pour compagne, mais je ne savais pas comment t'en parler. Et je n'étais pas sûr de mon identité.

— Vous n'avez quand même pas monté cette mise en scène pour me demander en mariage!

— Non. Je suis simplement maladroit, et Vaste aussi. Je ne veux pas t'enfermer, mais j'aimerais te sentir près de moi. Tu n'as pas besoin d'accepter. Tu sais comment je suis fait.

— Et n'accepte pas simplement pour me sauver, ajouta Vaste. Il y en a des millions, des milliards, qui rôtissent en enfer. Un de plus, un de moins... Je reprendrai l'habitude.

— Retournons chez les juges, déclara Lame.

Ils traversèrent Arxann déserte et sèche comme une étoile de mer échouée. Le tapis roulant fonctionnait encore. Ils traversèrent des foules compactes et de plus en plus vivantes. Le prince n'avait pas peur. Ces spectres et ces monstres, c'était le peuple qu'il recevrait en héritage.

À l'entrée de la caverne qui s'ouvre sur le monde intermédiaire, Vaste tomba à genoux. Le prince l'aida à se relever et ils entrèrent, hagards, chez les juges, qui se firent attendre.

— J'ai mal, gémit Vaste en ce lieu où mentir est difficile. Et j'ai peur.

Il tremblait de fièvre. Lame le prit dans ses bras, même si elle savait qu'il aurait préféré être avec Claire. Le prince, un peu à l'écart, semblait encore embarrassé de l'aveu qu'il avait fait à Lame.

La caverne était fraîche. Les respirations faisaient un peu de buée. Vaste avait froid, Lame aussi. Ils semblaient seuls, tous les trois, dans ce monde crépusculaire et minéral.

— Je vous aime, dit le prince Rel à Lame, presque sans se retourner. Vous êtes belle et intelligente, vous pourriez être une reine. Vous devriez être notre reine, vous qui avez échappé à la souffrance sans rien abandonner.

— Je n'en mérite pas tant, coupa Lame. Regardez-moi pour commencer.

Il s'approcha, s'agenouilla près d'elle.

— Je ne sais pas si je vous mérite, dit-il.

Du sang noir coula de la main de Vaste, qui cria. Une présence se fit sentir. Un juge apparut dans la pénombre et demeura silencieux.

La terre trembla un peu.

— Est-ce que c'est la fin ? s'écria Lame.

Le grondement s'arrêta.

Le juge fit un pas vers eux, puis s'arrêta. On le distinguait à peine, une haute présence sombre et voilée, corpulente, bienveillante.

— Je n'ai plus de pays, dit Lame, et voilà qu'on m'en offre un. De la passion pour vous, prince, j'en ai éprouvée. Mais ce n'est pas un critère. Je ne peux pas faire confiance à ma passion. Elle mène sur des chemins dangereux, glissants, où l'on perd son équilibre. De la passion pour vous, j'en ai toujours, je le sais. C'est enfoui quelque part. Mais je vous ai vu avec d'autres partenaires et je l'ai accepté. Allez-vous continuer à vous habiller en femme ? Ça m'humilierait, si je suis votre compagne. Avez-vous pensé combien vous pourriez me faire mal, si je vous aimais ?

— J'y ai pensé. Je renoncerai.

— Ce sera peut-être trop difficile.

— On pourra essayer.

Vaste s'éveilla, se secoua. En s'excusant un peu, il se releva et s'assit plus loin, soutenant sa main sanglante.

— Ne faites pas ça pour moi, répéta-t-il, à moitié endormi.

Le juge s'approcha de Lame. Une main puissante et chaude sortit du voile et se plaça sur son épaule. Cela lui rappela Roxanne et la femme qu'elle aimait. Elle en fut ennuyée, mais le contact était utile. Comme l'autre fois pour Vaste, quand elle avait vu la justice de la victime, elle sentit ses idées et ses perceptions se clarifier.

— Ah ! fit-elle.

Elle venait de comprendre quelle utilité elle pourrait avoir en épousant le prince, et ce que serait sa vie.

— Prince, j'accepte de devenir votre compagne, déclara-t-elle.

Ils se levèrent et s'embrassèrent. La vision de Lame devint encore plus précise et plus joyeuse : il y aurait un monde entier à régénérer, et ce serait possible. Il lui sembla que son regard plongeait tellement loin dans l'avenir, saisissant les germes actuels d'une sérénité à long terme, qu'elle en eut le vertige. Bouleversée, elle se rendit compte que celui qui devenait son compagnon, même s'il avait connu ses enfers lui aussi, serait capable de tourner son pays dévasté vers un avenir plus doux, et que ce désir n'avait jamais vraiment été absent de ses pensées.

Le juge s'était éloigné. Ils aidèrent Vaste à se relever. Tous trois quittèrent le domaine crépusculaire de la vérité en exprimant leur gratitude.

Étendu sur le tapis roulant, Vaste remarqua que sa main avait cessé de saigner et il tomba endormi. Lame et Rel, impressionnés, se frôlant à peine, se regardèrent longtemps. Une fois la ville en vue, le prince releva la tête.

— Regarde, dit-il à Lame.

Dans les hauteurs de la voûte de béton, des étoiles scintillaient.

La roue de flammes

Cette fois-ci, ils rentrèrent en ville avec une escorte de hères, de mercenaires et d'étrangers. On trouva un camion. Les rues étaient plutôt vides, mais Lame se sentait moins isolée que bien d'autres fois.

— Huit mondes, mentionna le prince alors qu'ils montaient vers le palais, huit mondes vont se partager notre charge de damnés. Les terres clientes, demeures de ceux qui font des fautes sans pouvoir les expier sur place parce que les conditions de vie y sont trop douces, ces terres vont subventionner notre reconversion.

— Sans blague ! s'exclama Lame. Qui les forcerait à donner des fonds pour que leurs citoyens se fassent martyriser ?

— C'est automatique. Les lois d'après la mort ont quelque chose d'inéluctable. D'ailleurs, dès qu'on est mort, on n'a plus de citoyenneté. On ne sait pas où on va se ramasser, on est apatride jusqu'à l'application du jugement. Souvent, on ne reverra plus rien de ce qu'on a connu, plus personne. Et si on les voit, on ne les reconnaît plus, ce qui revient au même.

— Comment ce processus automatique a-t-il lieu ?

— Eh bien, suppose un monde où il y a beaucoup d'êtres méchants. Ce monde s'appauvrit graduellement, puisqu'ils sont cruels, pillards, pollueurs, voleurs et tout le reste. L'énergie que ce monde perd se retrouve ici, sous deux formes. Une part sert à tourmenter les méchants après leur mort ; une autre part nous est réservée pour l'avenir, afin de nous récompenser d'avoir fait ce sale travail. Il est temps que la chance tourne pour nous.

— Ici, est-ce que nous demeurerons des gens d'après la mort ?

— En un sens oui, je suppose. On verra. Pour le moment, tout le monde en sait trop pour qu'on puisse redevenir une belle terre pleine d'ignorance du jour au lendemain.

— Et les mondes d'avant la mort, comme celui où j'étais employée de bureau, tu en as visité, disais-tu ?

Après avoir parlé, Lame se rendit compte qu'elle tutoyait le prince, à présent. Pourquoi pas ?

— J'en ai visité, oui. J'avais un bon déguisement et des compagnons qui me faisaient passer pour l'un des leurs. C'était vraiment bien. Tout y est un peu plus stable qu'ici. Les sales coups des uns et des autres peuvent s'accumuler sans que ça paraisse ; le décor reste joli. Très agréable.

— Il me semble pourtant que c'était plutôt laid et déprimant.

— Bien sûr, ces terres sont en train de se dégrader. Il y a un très lent mouvement cyclique, de quelques milliards d'années. Un jour, leur place et la nôtre seront interverties. Ce sont très clairement les enfers du futur. Entre-temps, on y trouve encore de beaux morceaux. Toi, tu vivais dans une région moche ; il y en a beaucoup, mais il n'y a pas que ça.

Le prince se tourna vers Vaste, étendu à l'arrière du camion où ils étaient. Dès leur arrivée en ville, on avait pu lui administrer des antibiotiques et lui soigner la main. Il semblait dormir.

— On a les étoiles, il ne manque plus que le vent, constata le prince. J'espère que Vaste se rétablira vite ; j'aimerais mieux qu'il ne manque pas l'action.

— Pourquoi ?

— Il va sans doute me sauver la vie.

— Y a-t-il des prophéties qui me concernent ?

Il se concentra et dit :

— Tu as toujours ta robe rouge ?

— Celle que je mettais pour jouer de la lyre ? Non.

— Essaie de t'en trouver une autre. Le plus tôt possible, mets la robe et dénoue tes cheveux. Redeviens comme avant. Tu n'habites plus un village historique.

Ils installèrent Vaste dans une petite salle sous les soins d'une infirmière, et se retirèrent tous deux dans la grande chambre du prince. Les membres de leur escorte campaient aux alentours dans le palais presque désert. Quand ils firent l'amour, cela fit naître en Lame des éclairs de visions éclatantes et fragmentées : illustrations fugaces de mondes possibles ou simples illusions, elle ne savait. Le corps du prince était comme un champ de force. Le toucher, c'était faire jaillir désirs et prophéties. Lame découvrit la cicatrice du coup qui aurait pu lui être fatal quand elle l'avait sauvé, et le sillon de tissu cicatriciel se transforma à sa vue en paysage de gouffre survolé à vol d'oiseau. Quant au sexe multiple du prince, il portait en lui la promesse d'un futur équivoque et plein de défis. Son odeur capiteuse catapulta Lame dans des abîmes de désir où, non, elle ne se perdrait plus mais se trouverait plutôt.

— Il faudra que tu sois ma maîtresse, mentionna le prince.

— En quel sens ? dit-elle en lui lissant le poil.

— Si je te désoriente trop, j'en suis désorienté, et le monde entier est gouverné de travers. Si tu te retiens trop, je ne sens plus rien, et le monde entier devient triste. Devenons l'ivresse l'un de l'autre, devenons la camisole de force l'un de l'autre, et le monde entier prend son sens.

— Ton corps…

— Est un corps de prophète, je le sais. Des présages, tu en découvriras de toutes sortes, rien qu'en me reniflant les joues. Songe un peu à ce que je vais trouver en toi ! Je serai ton sourcier.

— N'est-ce pas un peu claustrophobe comme destin ?

— Nous aurons chacun droit à la solitude, à la compagnie d'autres êtres, à la liberté. Mais dans l'alchimie de nos corps joints un monde se dessine.

Elle plongea vers lui, vigilante pour ne pas cacher ses yeux de tigre, véhémente pour qu'il se nourrisse d'elle, plongeant du même coup comme un couteau dans le ventre d'avenirs insondables, désormais illuminés par l'épée flamboyante de son désir.

Il réagit comme un raz-de-marée qui enfle, et ils s'engagèrent dans les jeux étranges des corps qui se découvrent et se comblent sans jamais se combler. Au rythme cosmique de leurs amours sans chaînes, le vent put enfin s'élever. C'était le début de la nuit.

— À quoi songes-tu ? demanda le prince à sa belle tandis qu'ils se rhabillaient.

— Mes perceptions ne seront jamais les tiennes, ton esprit ne communiquera jamais avec le mien. Si tu t'es approché de moi, c'est que je t'apparais sous la forme d'un être désirable. Si nous avons fait l'amour, c'est que nous nous voyons l'un l'autre comme des objets de désir, d'un désir que nous voulons combler. Mais chacun demeure seul avec ses pensées, ses sensations, ses souvenirs, et c'est la même chose pour tout le monde. Il y a un gouffre infranchissable.

— Pourtant le vent se lève. Tous les présages, nous les avons fait surgir parce que nous sommes ensemble. C'est la nuit de mort et de feu, maintenant.

— Sans doute ce vent s'élève-t-il du gouffre même de la solitude.

— Oui, de la solitude la plus profonde. L'amour est un flamboiement qui permet d'apercevoir l'inéluctable. Et nous avons fait l'amour pour que d'autres puissent mourir.

— Je ne le voulais pas.

— Si tu es ma reine, Lame, tu vivras avec ma tristesse.

— On n'a pas le choix ?

— C'est cela, ou pire.

Ils fouillèrent dans des pièces abandonnées et trouvèrent une robe rouge pour Lame. Ils réussirent à réveiller un peu Vaste et à le faire se lever. Ils allèrent aux appartements du roi, pour annoncer que le temps était venu. Celui-ci, qui était prêt, prononça les paroles rituelles qui annonçaient sa mort et celle de ses proches.

Plus tard, un long cortège quitta le palais, allant vers la grande roue de bois et d'étoupe érigée à l'orée de la ville au fond d'une immense tente blanche. Tout le monde avait attendu le vent depuis des jours. Une foule paisible et bigarrée s'était massée le long du parcours.

Des gardes étrangers, semblables à des insectes ou à des gnomes, habillés de blanc, venant des huit mondes qui relaieraient celui-ci, attachèrent respectueusement le roi, la vieille reine et leurs ministres au moyeu et aux gigantesques rayons de la roue sèche et déjà chaude.

— Attachez-le aussi, ordonna le roi des enfers en désignant son fils qui se tenait tout près.

Les gardes hésitèrent.

— Il est difforme dans son corps et dans son esprit ! C'est un raté ! Qu'il périsse avec nous ! insista-t-il.

Évidemment, ce n'était pas au programme. Le prince tourna les talons et se dirigea vers l'entrée de la tente sans que nul le retienne. Il demeura debout, impénétrable, parmi la foule qui entrait pour jouir du rare spectacle. Lame put le rejoindre, et Vaste aussi. Le vent faisait claquer les pans de la tente.

Un étranger, masqué en plus, mit le feu à la roue, qui commença à tourner sous l'action conjointe des flammes et des courants d'air. Comme il était prévu, la tente elle-même prit feu. Parmi ceux qui y étaient entrés et ceux qui s'en trouvaient proches, un double mouvement avait lieu : certains, loyaux envers l'ancien régime, pénétraient plus avant pour se jeter dans les flammes. D'autres, confiants dans l'avenir ou simplement désirant sauver leur vie, fuyaient vers le dehors. De grands pans de toile blanche s'effondraient dans les flammes, et les ténèbres du ciel apparaissaient, peuplées de hordes de spectres qui, tout comme les vivants, étaient animés de mouvements contraires, certains se fondant au brasier, d'autres cherchant la sécurité de la nuit.

Sur la roue et aux alentours, ceux qui étaient en train de mourir poussaient d'atroces hurlements. Comme les flammes se propageaient vers l'entrée de la tente, on entendit une dernière imprécation du roi des enfers, dont la voix tonnante emplit tout l'espace :

— Tu es incapable de régner, tu veux seulement sauver ta peau ! À cause de toi, tout va périr ! Sale avorton ! Lâche !

Cette insulte fit perdre son sang-froid au prince, qui était déjà ébranlé d'assister au spectacle de la mort de ses parents.

— Il a peut-être raison ! s'exclama-t-il. Il a peut-être tort ! Plus rien n'a de sens ! cria-t-il.

Lame essaya de l'entraîner vers l'extérieur, parce qu'il était vraiment temps de quitter les lieux, mais il la repoussa. Un tas de chaises ayant été entassé là par la foule mouvante, il en saisit une et menaça Lame :

— Ne me touche pas ! Je décide ce que je fais ! Les enfers m'habitent. Je ne vaux plus rien.

Pris entre la foule de ceux qui entraient mourir et la cohue de ceux qui sortaient vivre, le prince resta sur place, échevelé, défendant sa position à coups de chaise, incapable de déterminer s'il était digne de vivre ou digne de mourir. Lame commença à avoir peur. Une pluie d'escarbilles s'abattait déjà sur eux. Elle aperçut Vaste qui, l'air perdu, se tenait dehors, à l'abri de la foule, protégé par un poteau de l'auvent d'entrée. Elle lui fit signe de s'approcher, ce qu'il put faire en suivant le courant, déjà plus réduit, de ceux qui entraient pour mourir.

Plus il avançait, plus Lame, qui l'observait avec angoisse, avait l'impression qu'il se réveillait, et que dans ce lieu de mort et de terreur il pourrait détruire ses œillères et ses entraves. Ce n'est pas un mercenaire brutal et mal dégrossi qu'elle vit arriver à ses côtés, mais une sorte de chevalier animé par son devoir. Ce nouveau Vaste allait vraiment mériter son nom. Malgré sa blessure et sa fièvre, il n'hésita pas une seconde à parer les coups du prince déchaîné et à tenter de le maîtriser. Le vent et les flammes accroissaient mutuellement leur pouvoir, on apercevait l'incendie qui s'étendait vers les quartiers sous le vent.

Déployant toutes ses forces et ses ruses de vieux guerrier, Vaste, après avoir reçu une volée de coups de chaise, put enfin saisir le prince à bras-le-corps, lui faire lâcher son arme, le retourner face à lui et le regarder droit dans les yeux, furieux, grimaçant, effroyable à la clarté du brasier.

— Maintenant, tu te ressaisis et tu sors, gronda-t-il.

— Tu n'as rien compris, rétorqua le prince en serrant les dents. Je suis indigne de devenir roi.

Avec moi, ça ne marchera jamais. Mon corps et mon esprit sont tarés.

Vaste prit le temps de répondre d'un ton sifflant:

— Personne n'est là pour te remplacer, Rel. C'est toi qui es en charge, ou bien c'est le chaos. Débrouille-toi avec ton corps et ton esprit. Ils devront faire l'affaire.

Le prince laissa tomber sa tête et parut reprendre un peu ses esprits.

— Tu penses que j'en suis capable? demanda-t-il d'une voix blanche. Toute la reconstruction? Mille ans de pouvoir?

— Oui. C'est toi ou personne.

La clameur des mourants et des fantômes s'amplifiait, séductrice et stérile. Le prince hocha pourtant la tête et indiqua la sortie.

Prenant Vaste par la main, il le conduisit hors de la tente, à l'écart de la foule, loin de l'incendie. Lame les suivait. Ils s'assirent finalement sur un talus. Vaste, épuisé, s'étendit sur l'herbe, qui brûlerait sans doute tôt ou tard.

— C'est un monde! s'exclama-t-il, s'adressant à Lame. Tu as tes problèmes, j'ai mes problèmes, il a ses problèmes! Mais on n'a pas d'excuse. Si on ne le fait pas, personne ne le fera.

— Mais oui, dit-elle sans trop comprendre.

— Nous avons fait monter un camp à l'extérieur de la ville, à cause du risque d'incendie, commenta le prince, qui semblait à la fois désespéré et lucide. Toutes les annonces ont été faites. Lame, essaie de voir comment fonctionnent les services de sécurité, pour l'évacuation des gens qui ont perdu leur logis. Et puis rassemble mon état-major et fais-le venir ici.

La foule était sans panique, portée par l'énergie d'une fin de règne d'un spectaculaire tout traditionnel. Lame finit par trouver les officiers et les étrangers qu'elle avait vus souvent en compagnie de Rel : ils les cherchaient de leur côté. Au bout de quelques heures, ils purent la faire monter dans une jeep, allèrent rejoindre le prince et Vaste, et se mirent en route vers le camp. Mais les flammes étaient passées avant eux. Il n'y avait plus rien que du sable et des cendres.

C'était beau.

Commencement

Tout était bien organisé. Le jour se leva. Ceux qui fuyaient la ville, dont certains quartiers brûlaient, trouvaient refuge dans l'étendue désormais désertique où on avait prévu le camp. Seules les tentes avaient brûlé ; les réserves d'eau, de nourriture, les véhicules entreposés dans les environs avaient échappé aux flammes.

— Dormons à la belle étoile ! dit le roi Rel une fois le soir venu.

On voyait encore les traces des piquets de sa tente. Il se coucha dans l'espace qu'elles délimitaient, avec Lame. Ses habits de tous les jours ayant brûlé, il s'étendit par terre vêtu de son costume noir et argent. Lame, appuyée sur un coude, regarda son profil aigu, aux pommettes hautes. À la lueur des derniers incendies au loin, il avait l'air d'un gitan heureux. Là où l'entrée de la tente avait été, Vaste s'allongea.

Deux jours plus tard, Lame quittait son époux, accédant à sa demande d'aller aider à l'évacuation des enfers mous. Comme elle les avait connus en tant qu'usagère, elle pourrait donner des renseignements aux équipes qui travaillaient là. Elle se mit donc en route pour le marécage, où des équipes creusaient des fosses pour tous les damnés morts de ne plus se faire nourrir par les robots. On ne savait vraiment pas quoi faire des larves, et des fourmis qui les parasitaient, et on les abandonna à leur sort. Maintenant que les feux des enfers chauds étaient éteints, le ciel de tous les enfers était beaucoup plus sombre et l'air plus pur. Il fallut installer massivement des projecteurs par tout le pays.

Lame, plutôt secouée d'avoir à vivre de nouveau dans son ancien lieu de torture, eut par contre grand plaisir à participer à l'abattage de la terrible porte ovale, qui fut ensuite brisée en mille miettes.

Les damnés voyaient leur peine interrompue par la fin de l'exploitation des enfers en ce monde-ci. La plupart mouraient et hantaient les lieux en attendant que leur place soit faite dans de nouveaux enfers, où ils apparaîtraient avec un nouveau corps bien adapté à leurs tourments. Ces spectres étaient totalement inoffensifs, mais on les apercevait dans certaines circonstances, et ils contribuaient à donner une atmosphère sinistre à ces lieux de pénombre et de dévastation.

Une petite minorité de damnés virent leur peine terminée au moment de l'arrivée au pouvoir de Rel. Ils pourraient donc, au moins théoriquement, être soignés et garder le même corps et la même mémoire, comme c'était arrivé à Lame et à Vaste. Mais les équipes médicales, surchargées, n'aimaient pas avoir à traiter de cas aussi lourds, c'est pourquoi ces damnés moururent pour la plupart à peu près sans soins. Ils trouvaient ailleurs sans difficulté un autre corps et une vie plus utile, portés comme tous par les conséquences de leurs actes.

La population autochtone de hères et de monstres, privée qu'elle était de la présence des damnés, qui avait été depuis très longtemps sa source d'emploi, dut voir son énergie canalisée vers de nouveaux horizons, plus positifs, et cela ne se fit pas du jour au lendemain. Il fallait vraiment changer les mentalités. Le mandat des équipes de restauration était de remettre ce monde dans l'état où il était avant que les enfers ne s'y établissent, ou de le laisser dans un meilleur état. Des programmes intensifs d'éducation et de développement culturel furent mis sur pied. Il s'agissait de réhabiliter une nation de bourreaux devenus sadiques et d'exécuteurs de basses œuvres devenus indifférents. De retour des anciens enfers mous, Lame s'engagea dans ces programmes. Elle travailla avec toutes sortes de spécialistes et fit la connaissance d'un grand nombre d'êtres difformes, qui possédaient tous néanmoins des talents et une dignité à développer.

Dans ses nouvelles capacités, elle put retrouver Roxanne, qui attendait l'installation des enfers froids pour y déménager comme bonne âme.

— Mes collègues m'ont convaincue que j'étais prête pour un milieu vraiment dur, expliqua-t-elle à Lame. Bientôt je prends ma retraite. Mais, auparavant, je pense que je pourrai me rendre utile.

— Auprès des glaçons ?

— Auprès des glaçons.

L'évacuation du monde prit une douzaine d'années. Au bout de ce temps-là, les huit mondes qui se partageaient la charge avaient pu désertifier de vastes surfaces de leurs terres pour y accueillir les diverses installations de torture à long terme. Les hordes de spectres, se lamentant avec beaucoup d'émotion auprès de qui pouvait les entendre, quittèrent graduellement les domaines du roi Rel où elles avaient pu goûter un peu de répit, en route vers des souffrances accrues. Un jour, chacun d'eux aurait expié ses crimes et pourrait accéder, comme n'importe qui, à un destin plus intéressant.

Une fois l'évacuation terminée, le monde où régnait Rel était à peu près désert et sombre. Les lieux des divers enfers avaient été nivelés au bulldozer. On ne savait pas trop ce qui pourrait y croître, parce que la lumière n'était pas assez forte et l'eau plutôt rare. La population, peu importante, vivait de l'aide humanitaire et s'initiait lentement à un mode de vie plus sain. Même les vautours étaient morts, à moins qu'on ne les ait capturés pour des jardins zoologiques ou des réserves fauniques, loin, ailleurs. Les tapis roulants avaient été arrêtés, puis défaits, parce que la population était trop peu nombreuse pour justifier leur mise en service. On circulait en jeep dans les étendues désolées. Visiter ce monde obscur, c'était comme séjourner dans un immense hangar désaffecté.

Rel continuait d'être heureux dans la poussière et les cendres, vivant sous un ciel de béton. Délaissant l'ancienne capitale, il avait établi le centre de son royaume dans le château où Lame l'avait rencontré. Là, entouré de livres, de banques de données et de conseillers, il prenait les décisions qui reviennent au souverain, accueillait ceux qui se présentaient à sa cour et rendait la justice. Lame partageait sa vie, peignant des paysages et des portraits, recevant des dames pour le thé, quand elle n'effectuait pas des tournées aux quatre coins du territoire, pour remonter le moral et donner des conseils. Elle aussi était heureuse.

Par contre Vaste, principal garde du corps, était mélancolique. Sa bien-aimée d'un autre monde, Claire, lui avait interdit de revenir la voir, expliquant que la passion qu'elle lui avait manifestée n'existait qu'à des fins thérapeutiques, et qu'il devrait désormais continuer sa vie sans elle. Vieilli par ses aventures, il demeurait seul. Il avait la nostalgie du paysage mal formé qu'il avait contribué à faire verdir par sa guérison. Cependant, Claire et Tom avaient dû déménager, car ce nouveau coin de pays, sitôt sorti du chaos, y était retourné pour que s'y établissent une partie des nouveaux enfers froids. Rien ne subsistait donc de cette beauté que Vaste avait aidé à s'épanouir, rien d'autre que des souvenirs.

Rel comptait sur la sensibilité de Lame et de Vaste pour orienter la reconstruction du monde dans une direction salutaire. Il les consultait souvent.

Ce jour-là, ils étaient donc ensemble, buvant du porto dans la chambre du roi, dont les fenêtres étaient grandes ouvertes. Une brise légère faisait danser les rideaux. Le grand vent qui s'était levé au changement de règne ne s'était pas vraiment apaisé.

— Les gens sont tristes, remarqua Vaste, et je les comprends. Ce monde est de plus en plus terne.

— Heureusement, répondit Rel.

— Pourquoi ? demanda Lame.

— Heureusement qu'ils sont tristes, après toutes les bêtises qu'ils ont faites. Heureusement que le monde est terne, il faut bien lui laisser le temps de reprendre son souffle.

— L'habitude des plaisirs bons pour la santé est longue à prendre quand on aime assassiner les gens à coups de hache, c'est ce que tu veux dire ?

— Exactement.

— Il restera terne longtemps ? demanda encore Vaste.

— Aussi longtemps qu'il le faut. Le temps de laisser mourir ceux qui ne se réadaptent pas. Les équipes de reconstruction venant d'autres mondes veulent installer une sorte de soleil et planter des arbres, mais elles devront attendre. On m'a parlé d'abattre du béton et des roches pour que le ciel extérieur nous soit plus visible. C'est délicat. La plupart de ceux qui aboutissaient ici avaient l'impression de se trouver en dessous du monde où ils avaient vécu auparavant, creux dans le sol. Les bonnes âmes, elles, nous quittent en volant vers le haut quand elles vont dans leur terre d'origine. Même si nous ne sommes plus les enfers, en un certain sens nous demeurons le monde d'en dessous. Détruire notre plafond pourrait avoir des conséquences bizarres, pour nous comme pour d'autres. Personne n'est prêt à ça. Et puis, on a déjà des étoiles. Le fond de l'affaire, c'est que les reconstructeurs ont hâte d'avoir exécuté leur part de l'engagement. Qu'ils s'en doutent ou non, ils en ont pour un bout de temps avant que je leur permette de tout remettre à neuf.

— Ils sont les plus forts, dit Lame. S'ils perdent patience, ils pourraient agir malgré toi, ou bien te laisser tomber.

— J'ai la justice pour moi.

— En es-tu certain? Les juges sont partis. Ce n'est qu'un monde parmi d'autres, ici. La justice crépusculaire n'y siège plus. Les injustices peuvent s'y accumuler comme partout ailleurs.

— Non. Notre malheur est trop proche de nous. J'ai l'assurance que les juges veillent encore sur nous, et pour longtemps.

— Encore une de tes perceptions magiques?

— Oui.

— Bon, dans ce cas. Mais pourquoi ne pas se dépêcher de guérir?

— Il y a des deuils à vivre, entre l'enfer et la terre.

Lame savoura une gorgée de porto et regarda Vaste, qui semblait découragé.

— Certains pourraient se passer de deuil, remarqua-t-elle.

Le roi Rel se leva et prit Vaste dans ses bras.

— Ils aideront les autres, répondit-il.

Dans le silence qui s'établit, Lame remarqua qu'en effet la vie était bien ennuyante, par ici. Et que c'était bon.

Vaste se dégagea doucement des bras de Rel et regarda dehors, hésitant à parler.

— Il faudrait au moins donner un nom à l'endroit où on vit, dit-il finalement. Les caisses qui sont expédiées ici portent la mention « ex-enfer », mais on pourrait trouver mieux. D'anciens enfers, depuis que le monde est monde il doit y en avoir beaucoup, et ils ne proclament pas publiquement leur ancien état. Tu ne trouves pas ça humiliant? Quand de nouveaux venus ouvrent de grands yeux en voyant mes cicatrices, je n'ai pas envie de leur parler de mes années aux enfers chauds et de ce qui m'y a conduit. Toute cette terre-ci doit se sentir comme moi. Je suis un ex-damné résidant aux ex-enfers !

— Ça n'a rien d'humiliant, ni pour la terre ni pour toi, répliqua Rel. Sauf aux yeux des ignorants, sans mémoire et sans conscience.

— Je crains qu'ils ne soient majoritaires.

— Là-dessus, je te donne raison, et c'est précisément pourquoi les enfers se perpétuent, au lieu de devenir graduellement désuets.

— Enfin, on pourrait reprendre le nom que portait ce monde il y a des millénaires, avant…

— Avant, c'était autre chose.

— Mais les équipes de reconstruction vont tout remettre comme avant. C'est leur mandat.

— « Comme avant, ou mieux. » Remettre comme avant est strictement impossible. Et puis, ce serait idiot.

— Idiot ?

— Ce serait retourner à la naïveté, à l'inconscience. Ils me passeront sur le corps. Tu as connu ça, avant ? Moi, si.

— Il faudrait quand même nommer ce monde.

— Plus tard, Vaste. Quand les gens seront prêts.

— On pourrait l'appeler Espoir, ou encore Bienheureux.

— Le temps des caricatures est fini.

— Et le temps de relever la tête ?

Il y eut un silence. On servit d'autre porto. Le roi vida son verre. Puis il regarda Vaste.

— Porte ton deuil, garde du corps, déclara-t-il. Porte-le sur ta tête.

Vaste ne toucha pas à son verre et sortit.

— Il a tout de même raison, remarqua Lame. Un bon petit nouveau nom, avec une grosse cérémonie, ça ne serait pas de refus.

— Vaste n'est pas prêt à ce que je lui donne raison, répondit Rel. Il ne s'est pas assez ennuyé, ici.

— Tu n'es pas en train de priver des gens d'une certaine joie de vivre, avec tes politiques ?

Il haussa les épaules.

— La joie de vivre, ça n'a jamais été ma spécialité. D'autres pourraient s'en charger.

— Un nom, tout de même, Rel, ce n'est pas la fin du monde !

— Un nom, c'est le début de la peur.

— De la peur ?

— De l'inexactitude et de la peur. Nous sommes l'ancien enfer et nous garderons ce nom tant que nous ne serons pas autonomes.

— Pour faire honte aux autres ?

— Peut-être. Ex-enfer. J'aime ça. Comme les cicatrices de Vaste.

— Ou les tiennes.

— Oui. Les conclusions heureuses sont celles qui ont mûri.

Lame, encouragée, aborda un sujet difficile.

— T'arrive-t-il de songer à ce que ton père t'a crié avant de mourir ? demanda-t-elle. Je suppose que oui. Je sais qu'il avait tort, quoique, en un certain sens...

— Il n'approuverait pas ce que je fais, c'est certain, reconnut Rel. Il avait peur des étrangers. Il s'aplatissait devant eux. Il était prêt à développer encore les enfers d'ici pour que tout demeure agréable à leurs yeux. D'autre part, il ne voulait pas déplaire à son peuple. Si les gens d'ici se satisfaisaient du travail de bourreau, il allait leur en fournir autant qu'ils en voulaient. Moi, je ne plais à personne. Huit enfers existent au lieu d'un seul, établis sur le territoire de mondes qui autrement seraient sains. Ils vont peut-être tout polluer à la longue s'ils sont mal gérés. En plus, j'envoie mon peuple à l'école de redressement et je fais attendre ceux qui voudraient régler nos problèmes en deux temps trois mouvements. Comparé à lui, j'ai mauvais caractère ! Je ne plais à personne, sauf aux juges.

— Et à moi.

— C'est ton privilège.

— Dans d'autres circonstances, je pense que ton père aurait fini par comprendre ce que tu fais.

— On peut faire dire aux morts ce qu'on veut. Entre-temps, ils sont peut-être en train de souffrir quelque part, et ils s'en fichent.

C'était le commencement très discret d'une nouvelle époque. Vaste demeura grognon, et Lame essayait d'éviter les tête-à-tête avec lui. Il éprouvait peut-être encore de la rancœur envers elle, dont la trop parfaite loyauté avait presque valu à Vaste un châtiment pour ingratitude. En plus, elle était reine et il n'était qu'un garde du corps grisonnant, solitaire et taciturne.

Un jour, cependant, quelques mois après l'épineuse conversation sur le nom du monde, Vaste vint trouver Lame et lui fit signe de le suivre dehors.

Ils marchèrent l'un derrière l'autre dans les grandes étendues de poussière sèche, où on voyait encore les marques des pneus de bulldozer. Ils arrivèrent près d'un pan de muret qui, pour une quelconque raison, n'avait pas été nivelé.

Vaste examina soigneusement les vieilles pierres sales et effritées, puis pointa quelque chose du doigt.

Lame regarda.

Gris et de la taille d'un ongle, un lichen commençait à pousser.

Esther Rochon...

... est venue tôt à l'écriture puisqu'en 1964, âgée d'à peine seize ans, elle obtenait, ex aequo avec Michel Tremblay, le Premier Prix, section Contes, du concours des Jeunes Auteurs de Radio-Canada. Depuis, elle a publié de nombreux ouvrages qui lui ont valu, entre autres, quatre fois le Grand Prix de la science-fiction et du fantastique québécois. Née à Québec, habitant Montréal depuis fort longtemps, Esther Rochon a fait des études supérieures en mathématiques tout en devenant une fervente adepte de la philosophie bouddhiste.

EXTRAIT DU CATALOGUE

Collection « Romans » / Collection « Nouvelles »

001	*Blunt – Les Treize Derniers Jours*	Jean-Jacques Pelletier
002	*Aboli* (Les Chroniques infernales)	Esther Rochon
003	*Les Rêves de la Mer* (Tyranaël -1)	Élisabeth Vonarburg
004	*Le Jeu de la Perfection* (Tyranaël -2)	Élisabeth Vonarburg
005	*Mon frère l'Ombre* (Tyranaël -3)	Élisabeth Vonarburg
006	*La Peau blanche*	Joël Champetier
007	*Ouverture* (Les Chroniques infernales)	Esther Rochon
008	*Lames sœurs*	Robert Malacci
009	*SS-GB*	Len Deighton
010	*L'Autre Rivage* (Tyranaël -4)	Élisabeth Vonarburg
011	*Nelle de Vilvèq* (Le Sable et l'Acier -1)	Francine Pelletier
012	*La Mer allée avec le soleil* (Tyranaël -5)	Élisabeth Vonarburg
013	*Le Rêveur dans la Citadelle*	Esther Rochon
014	*Secrets* (Les Chroniques infernales)	Esther Rochon
015	*Sur le seuil*	Patrick Senécal
016	*Samiva de Frée* (Le Sable et l'Acier -2)	Francine Pelletier
017	*Le Silence de la Cité*	Élisabeth Vonarburg
018	*Tigane -1*	Guy Gavriel Kay
019	*Tigane -2*	Guy Gavriel Kay
020	*Issabel de Qohosaten* (Le Sable et l'Acier -3)	Francine Pelletier
021	*La Chair disparue* (Les Gestionnaires de l'apocalypse -1)	Jean-Jacques Pelletier
022	*L'Archipel noir*	Esther Rochon
023	*Or* (Les Chroniques infernales)	Esther Rochon
024	*Les Lions d'Al-Rassan*	Guy Gavriel Kay
025	*La Taupe et le Dragon*	Joël Champetier
026	*Chronoreg*	Daniel Sernine
027	*Chroniques du Pays des Mères*	Élisabeth Vonarburg
028	*L'Aile du papillon*	Joël Champetier
029	*Le Livre des Chevaliers*	Yves Meynard
030	*Ad nauseam*	Robert Malacci
031	*L'Homme trafiqué* (Les Débuts de F)	Jean-Jacques Pelletier
032	*Sorbier* (Les Chroniques infernales)	Esther Rochon
033	*L'Ange écarlate* (Les Cités intérieures -1)	Natasha Beaulieu
034	*Nébulosité croissante en fin de journée*	Jacques Côté
035	*La Voix sur la montagne*	Maxime Houde
036	*Le Chromosome Y*	Leona Gom
037	(N) *La Maison au bord de la mer*	Élisabeth Vonarburg
038	*Firestorm*	Luc Durocher
039	*Aliss*	Patrick Senécal
040	*L'Argent du monde -1* (Les Gestionnaires de l'apocalypse -2)	Jean-Jacques Pelletier
041	*L'Argent du monde -2* (Les Gestionnaires de l'apocalypse -2)	Jean-Jacques Pelletier
042	*Gueule d'ange*	Jacques Bissonnette
043	*La Mémoire du lac*	Joël Champetier
044	*Une chanson pour Arbonne*	Guy Gavriel Kay
045	*5150, rue des Ormes*	Patrick Senécal
046	*L'Enfant de la nuit* (Le Pouvoir du sang -1)	Nancy Kilpatrick
047	*La Trajectoire du pion*	Michel Jobin
048	*La Femme trop tard*	Jean-Jacques Pelletier
049	*La Mort tout près* (Le Pouvoir du sang -2)	Nancy Kilpatrick
050	*Sanguine*	Jacques Bissonnette
051	*Sac de nœuds*	Robert Malacci
052	*La Mort dans l'âme*	Maxime Houde
053	*Renaissance* (Le Pouvoir du sang -3)	Nancy Kilpatrick
054	*Les Sources de la magie*	Joël Champetier

055	*L'Aigle des profondeurs*	Esther Rochon
056	*Voile vers Sarance* (La Mosaïque sarantine -1)	Guy Gavriel Kay
057	*Seigneur des Empereurs* (La Mosaïque sarantine -2)	Guy Gavriel Kay
058	*La Passion du sang* (Le Pouvoir du sang -4)	Nancy Kilpatrick
059	*Les Sept Jours du talion*	Patrick Senécal
060	*L'Arbre de l'Été* (La Tapisserie de Fionavar -1)	Guy Gavriel Kay
061	*Le Feu vagabond* (La Tapisserie de Fionavar -2)	Guy Gavriel Kay
062	*La Route obscure* (La Tapisserie de Fionavar -3)	Guy Gavriel Kay
063	*Le Rouge idéal*	Jacques Côté
064	*La Cage de Londres*	Jean-Pierre Guillet
065	(N) *Treize nouvelles policières, noires et mystérieuses*	Peter Sellers (dir.)
066	*Le Passager*	Patrick Senécal
067	*L'Eau noire* (Les Cités intérieures -2)	Natasha Beaulieu
068	*Le Jeu de la passion*	Sean Stewart
069	*Phaos*	Alain Bergeron
070	(N) *Le Jeu des coquilles de nautilus*	Élisabeth Vonarburg
071	*Le Salaire de la honte*	Maxime Houde
072	*Le Bien des autres -1* (Les Gestionnaires de l'apocalypse -3)	Jean-Jacques Pelletier
073	*Le Bien des autres -2* (Les Gestionnaires de l'apocalypse -3)	Jean-Jacques Pelletier
074	*La Nuit de toutes les chances*	Eric Wright
075	*Les Jours de l'ombre*	Francine Pelletier
076	*Oniria*	Patrick Senécal
077	*Les Méandres du temps* (La Suite du temps -1)	Daniel Sernine
078	*Le Calice noir*	Marie Jakober
079	*Une odeur de fumée*	Eric Wright
080	*Opération Iskra*	Lionel Noël
081	*Les Conseillers du Roi* (Les Chroniques de l'Hudres -1)	Héloïse Côté
082	*Terre des Autres*	Sylvie Bérard
083	*Une mort en Angleterre*	Eric Wright
084	*Le Prix du mensonge*	Maxime Houde
085	*Reine de Mémoire 1. La Maison d'Oubli*	Élisabeth Vonarburg
086	*Le Dernier Rayon du soleil*	Guy Gavriel Kay
087	*Les Archipels du temps* (La Suite du temps -2)	Daniel Sernine
088	*Mort d'une femme seule*	Eric Wright
089	*Les Enfants du solstice* (Les Chroniques de l'Hudres -2)	Héloïse Côté
090	*Reine de Mémoire 2. Le Dragon de Feu*	Élisabeth Vonarburg
091	*La Nébuleuse iNSIEME*	Michel Jobin
092	*La Rive noire*	Jacques Côté
093	*Morts sur l'Île-du-Prince-Édouard*	Eric Wright
094	*La Balade des épavistes*	Luc Baranger
095	*Reine de Mémoire 3. Le Dragon fou*	Élisabeth Vonarburg
096	*L'Ombre pourpre* (Les Cités intérieures -3)	Natasha Beaulieu
097	*L'Ourse et le Boucher* (Les Chroniques de l'Hudres -3)	Héloïse Côté
098	*Une affaire explosive*	Eric Wright
099	*Même les pierres…*	Marie Jakober
100	*Reine de Mémoire 4. La Princesse de Vengeance*	Élisabeth Vonarburg
101	*Reine de Mémoire 5. La Maison d'Équité*	Élisabeth Vonarburg
102	*La Rivière des morts*	Esther Rochon
103	*Le Voleur des steppes*	Joël Champetier
104	*Badal*	Jacques Bissonnette
105	*Une affaire délicate*	Eric Wright
106	*L'Agence Kavongo*	Camille Bouchard
107	*Si l'oiseau meurt*	Francine Pelletier
108	*Ysabel*	Guy Gavriel Kay
109	*Le Vide -1. Vivre au Max*	Patrick Senécal
110	*Le Vide -2. Flambeaux*	Patrick Senécal
111	*Mort au générique*	Eric Wright
112	*Le Poids des illusions*	Maxime Houde
113	*Le Chemin des brumes*	Jacques Côté

LAME
est le cent trente-troisième titre publié
par Les Éditions Alire inc.

Il a été achevé d'imprimer
en juillet 2008 sur les presses de

Imprimé au Canada par
Transcontinental Métrolitho